A ARTE DE VIVER

PAZ E LIBERDADE AQUI E AGORA

THICH NHAT HANH

A ARTE DE VIVER

PAZ E LIBERDADE AQUI E AGORA

Tradução
Rodrigo Peixoto

Rio de Janeiro, 2023

Copyright © 2017 Unified Buddhist Church, Inc.

Direitos de edição da obra em língua portuguesa no Brasil adquiridos pela Casa dos Livros Editora LTDA. Todos os direitos reservados. Nenhuma parte desta obra pode ser apropriada e estocada em sistema de banco de dados ou processo similar, em qualquer forma ou meio, seja eletrônico, de fotocópia, gravação, etc., sem a permissão do detentor do copyright.

Contato:
Rua da Quitanda, 86, sala 218 – Centro – 20091-005
Rio de Janeiro – RJ – Brasil
Telefone: (21) 3175-1030
www.harpercollins.com.br

PUBLISHER
Omar de Souza

GERENTE EDITORIAL
Mariana Rolier

EDITORA
Alice Mello

COPIDESQUE
Rebento Editorial

REVISÃO
Dênis Rubra

DIAGRAMAÇÃO
Abreu's System

CAPA
Osmane Garcia Filho

IMAGENS DE CAPA
everysunsun | Creative Market

CIP-Brasil. Catalogação na Publicação
Sindicato Nacional dos Editores de Livros, RJ

N479a

Nhat-Hanh, Thich, 1926-
    A arte de viver: paz e liberdade no aqui e agora / Thich Nhat Hanh; tradução Rodrigo Peixoto. – 1. ed. – Rio de Janeiro: HarperCollins, 2018.
    224 p. : il. ; 21 cm.

Tradução de: The art of living
ISBN 978-85-9508-234-2

1. Vida espiritual – Budismo. 2. Budismo – Doutrinas. I. Título.

17-45616

CDD: 294.3444
CDU: 294.34

PREFÁCIO

A primeira vez que ouvi Thich Nhat Hanh falar foi em 1959, no templo Xa Loi, em Saigon. Eu era uma universitária tomada de questionamentos sobre a vida e sobre o budismo. Embora ele fosse um jovem monge, já era um renomado poeta e um talentoso acadêmico. A primeira palestra me impressionou. Eu nunca ouvira alguém falar de maneira tão bonita e profunda. Fiquei impressionada com a sua aprendizagem, sabedoria e visão de um budismo muito prático, profundamente enraizado em técnicas antigas, mas ainda assim relevante às necessidades do nosso tempo. Eu já era uma pessoa engajada em trabalhos sociais em favelas e sonhava minimizar a pobreza e alavancar mudanças sociais. Nem todos apoiavam o meu sonho, mas Thay (como gostávamos de chamar o Thich Nhat Hanh, usando um carinhoso apelido vietnamita para "professor") era muito encorajador. Ele me disse ter certeza de que qualquer pessoa pode alcançar o despertar em um traba-

PREFÁCIO

lho que lhe dê prazer. O mais importante, segundo ele, é sermos nós mesmos e vivermos nossa vida da maneira mais profunda e com a atenção mais plena possível. Percebi ter encontrado o professor que buscava.

Ao longo dos últimos 55 anos, tive o privilégio de estudar e trabalhar com Thich Nhat Hanh, organizando projetos sociais no Vietnã, conduzindo trabalhos de paz em Paris, resgatando pessoas que viajam em botes nos mares e ajudando-o a estabelecer centros de prática de mente atenta na Europa, Estados Unidos e Ásia. Venho testemunhando os ensinamentos de Thay evoluindo e se aprofundando, adaptando-se às constantes alterações das necessidades e dos desafios do nosso tempo. Ele sempre, e com muita vontade, engajou-se em diálogos com líderes no campo da ciência, saúde, política, educação, negócios e tecnologia, pois assim consegue ampliar sua compreensão da situação atual e desenvolver práticas de mente atenta apropriadas e eficazes. Até o seu inesperado derrame em novembro de 2014, aos 88 anos, Thay continuou a gerar extraordinários vislumbres sobre os ensinamentos fundamentais do budismo. Certas vezes, com grande deleite, ele voltava de uma caminhada de meditação, pegava seu pincel e capturava tais vislumbres em breves frases de caligrafia, muitas das quais foram incluídas nestas páginas.

Este incrível livro, editado pelos seus alunos monásticos, captura a essência dos últimos dois anos de palestras

PREFÁCIO

de Thay sobre a arte de viver consciente. Em particular, ele apresenta os revolucionários ensinamentos transmitidos durante um retiro de 21 dias, que aconteceu em junho de 2014, no Centro Prático Plum Village de Prática de Mente Atenta, na França, sobre o tema: "O que acontece quando morremos? O que acontece quando estamos vivos?".

Jamais deixei de ficar completamente comovida com a maneira como Thay consegue personificar seus ensinamentos. Ele é um mestre na arte de viver. Ele valoriza a vida e, apesar das diversas condições adversas que enfrentou, incluindo guerras, exílio, traição e problemas de saúde, nunca desistiu. Ele se refugiava em sua respiração e nas maravilhas do momento presente. Thay é um sobrevivente. E ele sobreviveu graças ao amor de seus alunos e comunidade, e graças à nutrição que recebe da meditação, da respiração consciente e dos momentos relaxantes de caminhadas e descanso em meio à natureza. Em tempos de guerras e adversidades, bem como em tempos de paz e harmonia, testemunhei como a sabedoria que vocês encontrarão nestas páginas permitiu que Thay abraçasse as alegrias e as dores da vida sem medo, com compaixão, fé e esperança. Desejo que todos vocês tenham sucesso aplicando os ensinamentos deste livro na sua vida, seguindo os passos dele, para que possam levar a cura, o amor e a felicidade a si mesmos, às suas famílias e ao mundo.

Irmã Chan Khong

INTRODUÇÃO

Estamos tão próximos à Terra que às vezes nos esquecemos da sua beleza. Visto do espaço, nosso planeta azul parece incrivelmente vivo, um paraíso vívido e suspenso em um cosmo vasto e hostil. Na sua primeira viagem à Lua, os astronautas ficaram pasmos ao ver a Terra se erguer acima do horizonte desolador do nosso satélite. Todos sabemos que na Lua não existem árvores, rios nem pássaros. Ainda não encontramos nenhum outro planeta com vida tal como a conhecemos. Sabe-se que os astronautas que orbitam em estações espaciais passam grande parte de seu tempo livre contemplando a inacreditável vista da Terra ao longe. À distância, ela parece um gigante vivo, um organismo que respira. Vendo sua beleza e maravilha, os astronautas sentem um grande amor por toda a Terra. Eles sabem que bilhões de pessoas estão vivendo suas vidas nesse pequeno planeta, com toda sua alegria, felicidade e sofrimento. Todos veem violência, guerras, fome e destruição ambiental.

Ao mesmo tempo, veem claramente que esse maravilhoso planeta azul, tão frágil e precioso, é insubstituível. Como disse um astronauta: "Fomos à Lua como técnicos, mas voltamos como humanistas".

A ciência é a busca pelo conhecimento; nos ajuda a compreender as estrelas e as galáxias distantes, nosso lugar no cosmo, bem como a trama íntima da matéria, das células vivas e do nosso próprio corpo. A ciência, como a filosofia, está interessada em compreender a natureza da existência e o sentido da vida.

A espiritualidade também é um campo de pesquisa e de estudo. Queremos nos entender, entender o mundo que nos rodeia e o que significa estarmos vivos na Terra. Queremos descobrir quem realmente somos, e também compreender nosso sofrimento. Entender nosso sofrimento nos permite aceitar e amar, e é isso que determina nossa qualidade de vida. Todos precisamos ser amados e compreendidos. E todos queremos amar e compreender.

A espiritualidade não é uma religião. É um caminho para gerarmos felicidade, entendimento e amor, para que possamos viver profundamente cada momento de nossa vida. Manter uma dimensão espiritual em nossa vida não significa escapar da vida ou passar um tempo em um local de felicidade, fora do mundo, mas descobrir maneiras de enfrentar as dificuldades da vida e gerar paz, alegria e felicidade bem aqui onde estamos, neste lindo planeta.

O espírito da prática da mente atenta, concentração e vislumbres no budismo é muito próximo ao espírito da ciência. Não utilizamos instrumentos caros, mas sim nossa mente limpa e nossa serenidade para observar profundamente e investigar a realidade de nós mesmos, de maneira aberta e sem discriminação. Queremos saber de onde viemos e para onde vamos. Acima de tudo, queremos ser felizes. A humanidade gerou vários artistas talentosos, músicos e arquitetos, mas quantos de nós dominamos a arte de criar um momento de felicidade para nós mesmos e para as pessoas que nos rodeiam?

Como todas as espécies sobre a Terra, estamos constantemente buscando as condições ideais que nos permitirão viver o nosso potencial ao máximo. Queremos fazer mais do que apenas sobreviver. Queremos viver. Mas o que significa estar vivo? O que significa morrer? O que acontece quando morremos? Existe vida após a morte? Existe reencarnação? Voltaremos a ver nossos seres amados? Temos uma alma que viaja ao céu, ao nirvana ou em direção a Deus? Tais questionamentos residem no coração de todos nós. Algumas vezes se transformam em palavras e outras permanecem caladas, mas continuam presentes, pulsando em nosso coração sempre que pensamos na vida, nas pessoas que amamos, em nossos pais doentes ou envelhecidos, e nas pessoas que já faleceram.

Como podemos começar a responder a tais questões sobre a vida e a morte? Uma boa resposta, a resposta correta, deveria estar baseada em uma evidência. Não é uma questão de fé ou crença, mas de observar profundamente. Meditar é olhar profundamente e ver coisas que os demais não conseguem ver, incluindo as visões errôneas que formam a base do nosso sofrimento. Quando conseguimos nos libertar dessas visões equivocadas, somos capazes de dominar a arte de uma vida feliz, em paz e em liberdade.

A primeira visão equivocada da qual precisamos nos libertar é a ideia de que somos seres isolados, separados do resto do mundo. Tendemos a pensar que somos um eu individualizado que nasce em um momento e deve morrer em outro, e que existe durante o tempo em que estamos vivos. Enquanto mantivermos essa visão, continuaremos sofrendo, gerando sofrimento às pessoas ao nosso redor e causando danos a outras espécies e ao nosso precioso planeta. A segunda visão equivocada que muitos de nós temos é a de que somos reduzidos a este corpo, e que deixamos de existir ao morrer. Esse modo de enxergar as coisas não nos deixa perceber as diversas formas pelas quais nos interconectamos com o mundo ao nosso redor e também as maneiras pelas quais continuamos conectados após a morte. A terceira visão equivocada é a ideia de que o que estamos buscando (seja a felicidade, o paraíso ou o amor) pode ser encontrado fora de nós, em um futuro distante. Somos capazes de gastar nossa vida procurando e esperando essas coisas, sem perceber que elas podem ser encontradas dentro de nós, neste exato momento.

Existem três práticas fundamentais que nos ajudam na libertação dessas três visões equivocadas: as concentrações na *vacuidade*, na *ausência de imagem* e na *ausência de objetivo*. São as chamadas Três Portas da Libertação, e estão disponíveis em qualquer escola de budismo. Essas três concentrações nos oferecem um vislumbre profundo do que significa estar vivo e do que significa morrer. Elas nos ajudam a transformar sentimentos de mágoa, ansiedade, solidão e alienação. Têm o poder de nos libertar de nossas visões equivocadas, para que possamos viver profunda e completamente, e encarar a morte e o ato de morrer sem medo, raiva ou desespero.

Também podemos explorar outras quatro concentrações: *impermanência*, *ausência de desejo*, *desapego* e *nirvana*. Essas quatro práticas podem ser encontradas em *Respire! Você está vivo – Sutra sobre a plena consciência na respiração*, um texto maravilhoso dos primórdios do budismo. A concentração na *impermanência* ajuda a nos libertar da tendência que temos de viver como se nós e aqueles que amamos fôssemos durar para sempre. A concentração na *ausência de desejo* é uma oportunidade de reservarmos um tempo para ficarmos sentados pensando no que é a verdadeira felicidade. Com essa prática, descobrimos que já temos condições mais do que necessárias para sermos felizes, aqui e agora.

E a concentração no *desapego* nos ajuda a desvencilhar nossa vida do sofrimento, transformando e libertando as sensações dolorosas. Observando profundamente tais concentrações, podemos nos aproximar da paz e da liberdade do *nirvana*.

Essas sete concentrações são muito práticas. Juntas, elas nos despertam para a realidade e nos ajudam a valorizar o que temos, para que possamos alcançar a felicidade no aqui e agora. Elas nos oferecem o vislumbre necessário para apreciarmos nosso tempo, nos reconciliarmos com as pessoas que amamos e transformarmos nosso sofrimento em amor e compreensão. Essa é a arte de viver.

Devemos usar nossa atenção plena, concentração e vislumbres para compreender o que significa estarmos vivos e o que significa morrer. Podemos falar das descobertas científicas e espirituais como "vislumbres" e da prática de nutrir e manter tais vislumbres como "concentração".

Com os vislumbres da ciência e da espiritualidade, temos uma oportunidade de, no século XXI, revelarmos as causas primeiras do sofrimento humano. Se o século XX foi caracterizado pelo individualismo e pelo consumo, o século XXI poderá ser caracterizado pelo vislumbre da interconexão e pelos esforços de explorar novas formas de solidariedade e intimidade. Meditar com as sete concentrações nos permite enxergar tudo à luz da interdependência, libertando-nos de nossas visões equivocadas e destruindo as barreiras de uma mente discriminatória. A liberdade que buscamos não se parece com a liberdade que é autodestrutiva ou que destrói outras nações ou o meio ambiente, mas sim com o tipo de liberdade que nos liberta de nossa solidão, raiva, ódio, medo, desejo e desespero.

O ensinamento de Buda é muito claro, eficaz e simples de ser entendido. Ele abre um caminho de vida que não é voltado apenas ao benefício pessoal, mas à nossa espécie como um todo. Nós temos o poder de decidir o destino do nosso planeta. O budismo nos oferece a expressão mais clara de humanismo que já existiu. O que nos salvará são nossos vislumbres e ações. Se despertarmos para nossa verdadeira situação, haverá uma mudança coletiva de consciência. E, dessa forma, a esperança será possível.

Vamos explorar de que maneira as sete concentrações (vislumbres profundos na realidade) podem iluminar nossa situação, nosso sofrimento. Durante sua leitura, caso se encontre em um terreno não familiar, respire. Este livro é uma jornada que devemos seguir juntos, como se estivéssemos caminhando por uma floresta e desfrutando das incríveis maravilhas do nosso precioso planeta. De tempos em tempos, veremos árvores com lindas cascas, formações rochosas notáveis ou musgos chamativos que crescem ao longo do caminho, e desejaremos que nosso acompanhante desfrute da mesma beleza. Às vezes, em nossa jornada, também nos sentaremos para almoçarmos juntos, e, mais tarde, bebermos água de uma nascente límpida. Este livro é um pouco assim. De tempos em tempos, vamos parar e descansar, beber alguma coisa, ou simplesmente ficar sentados, com uma serenidade perfeita entre nós.

SERENIDADE

No Plum Village, centro de prática de mente atenta onde moro, na França, havia uma varanda chamada Ouvindo a Chuva. Nós a construímos especialmente para tal propósito, pois queríamos nos sentar por lá e ouvir a chuva, sem necessidade de pensarmos em nada. Ouvir a chuva pode ajudar a tornar nossa mente serena.

Tranquilizar a mente é fácil. Devemos prestar atenção em apenas uma coisa. Enquanto escuta a chuva, sua mente não pensa em nada mais. Ninguém precisa parar a mente, apenas relaxar e continuar ouvindo a chuva. Quanto mais tempo conseguir fazer isso, mais calma sua mente ficará.

Quando ficamos sentados dessa forma, vemos as coisas como elas realmente são. Quando o corpo está relaxado e a mente consegue descansar, podemos enxergar com clareza. Nos tornamos tão serenos e límpidos quanto a água de um lago entre as montanhas, cuja superfície tranquila reflete o céu azul, as nuvens e as rochas que o circundam exatamente como eles são.

Enquanto permanecermos inquietos, com a mente perturbada, não seremos capazes de enxergar a realidade claramente. Seremos como um lago em um dia de vento, com sua superfície agitada, refletindo uma visão distorcida do céu. Porém, assim que recuperarmos nossa tranquilidade, seremos capazes de observar profundamente e começarmos a enxergar a realidade.

EXERCÍCIO: A ARTE DE RESPIRAR

A respiração consciente é uma maneira maravilhosa de acalmarmos nosso corpo e sentimentos, restaurando a serenidade e a paz. Respirar de maneira consciente não é complicado. Qualquer pessoa pode fazer isso, até as crianças.

Quando respiramos com atenção plena, nosso corpo e mente entram em harmonia, concentrados na maravilha da respiração. Nossa respiração é tão linda quanto a música.

Ao inspirar, você *sabe* que está inspirando e devota toda a sua atenção ao ato de inspirar. Ao inspirar, existe paz e harmonia no corpo inteiro.

Ao expirar, você *sabe* que está expirando. Ao expirar, existe calma, relaxamento e você se deixa levar. Permite que todos os músculos do seu rosto e de seus ombros relaxem.

Você não precisa se esforçar para inspirar e expirar. Não é necessário nenhum tipo de esforço. Você não deve interferir na respiração. Basta permitir que isso aconteça naturalmente.

Ao inspirar e expirar, imagine alguém tocando uma longa nota em um violino, movimentando o arco para frente e para trás entre as cordas. A nota soa contínua. Se você quisesse desenhar uma imagem da sua respiração, ela seria como o desenho de um oito e não de uma linha reta, pois existe continuidade quando sua respiração flui para dentro e para fora. A sua respiração se transforma em música.

Respirar assim é mente atenta. E quando você sustenta a mente atenta, existe concentração. Quando existe concentração, existe o vislumbre... uma revelação, trazendo mais paz, compreensão, amor e alegria à sua vida.

Antes de continuar, vamos desfrutar de alguns momentos ouvindo a música da nossa respiração compartilhada.

Inspirando, eu desfruto da minha inspiração.
Expirando, eu desfruto da minha expiração.

Inspirando, meu corpo inteiro está em harmonia com a inspiração.
Expirando, meu corpo inteiro se tranquiliza com a expiração.

Inspirando, meu corpo inteiro desfruta da paz da minha inspiração.
Expirando, meu corpo inteiro desfruta do relaxamento da minha expiração.

Inspirando, eu desfruto da harmonia da minha inspiração.
Expirando, eu desfruto da harmonia da minha expiração.

CAPÍTULO 1

VACUIDADE
AS MARAVILHAS DO INTERSER

*Vacuidade significa estar repleto de tudo,
mas vazio de uma existência isolada.*

Imagine, por um momento, uma linda flor. Essa flor pode ser uma orquídea ou uma rosa, ou mesmo uma simples margarida que cresceu às margens de uma estrada. Ao olharmos para a flor, podemos perceber que ela está cheia de vida. Nela, existe solo, chuva e luz do sol; e também nuvens, oceanos e minerais. Está, inclusive, cheia de espaço e de tempo. Na verdade, o cosmo inteiro está presente nessa pequena flor. Mas, se retirássemos apenas um desses elementos "externos", a flor não estaria presente. Sem os nutrientes do solo, a flor não teria crescido. Sem a chuva ou a luz do sol, ela teria morrido. Retirando todos os elementos "não florais", não restaria nada substancial que poderíamos chamar de "flor". Portanto, nossa observação indica que a flor contém o cosmo inteiro, e que, ao mesmo tempo, está vazia de uma existência individual. A flor não pode existir sozinha.

Também estamos repletos de muitas coisas, e ainda assim vazios de uma existência individual. Assim como a flor, dentro de nós existe terra, água, ar, luz do sol e calor. Existe espaço e consciência. Carregamos conosco os nossos antepassados, nossos pais e avós, a educação, os alimentos e a cultura que recebemos. O cosmo inteiro se uniu para criar a maravilhosa manifestação que representamos. Se retirarmos todos esses elementos "não nós", descobriremos que não resta nada "nosso".

VACUIDADE: A PRIMEIRA PORTA DA LIBERTAÇÃO

Vacuidade não significa "o nada". Dizer que somos vazios não significa que não existimos. Independentemente de estar vazio ou cheio, antes de mais nada, é preciso estar. Quando dizemos que um copo está vazio, é preciso que ele realmente esteja lá, para que fique vazio. Quando dizemos que estamos vazios, significa que devemos estar presentes, para sermos vazios de um eu permanente e separado.

Há aproximadamente trinta anos, eu buscava uma palavra em inglês para descrever nossa profunda interconexão com tudo o que existe. Eu gosto da palavra "togetherness", que significa "intimidade", mas acabei descobrindo outra, "interbeing". O verbo "to be", que significa ser ou estar, pode ser enganoso, pois não podemos ser nós mesmos sozinhos. "Ser" é sempre "interser". Se combinamos o prefixo "inter" com "being", ou seja, "ser",criamos a palavra "interser", que reflete a realidade de maneira mais precisa. Nós interagimos uns com os outros, e também com a vida por inteiro.

Eu aprecio muito o trabalho do biólogo Lewis Thomas. Ele descreve como o corpo humano é "compartilhado, arrendado e ocupado" por inúmeros outros pequenos organismos, e que, sem tais organismos, não poderíamos "mover um músculo, tamborilar um dedo ou elaborar um pensamento". Nosso corpo é uma comunidade, e as trilhões de células não-humanas que existem nele são ainda mais numerosas do que as células humanas. Sem elas, não poderíamos existir neste momento. Sem elas, não poderíamos pensar, sentir ou falar. Para Lewis Thomas, não existem seres solitários. O planeta inteiro é uma célula gigante, viva, capaz de respirar, com todas suas partes funcionais unidas em simbiose.

THICH NHAT HANH

COMPREENDENDO O INTERSER

Podemos contemplar a vacuidade e o interser em todos os aspectos da nossa vida diária. Ao observar uma criança, é fácil perceber que nela estão presentes seus pais e avós. Na aparência dessa criança, na maneira como ela age, nas coisas que ela diz. Até suas habilidades e talentos são similares às dos pais. Às vezes, se não conseguimos entender por que uma criança está agindo de certa forma, devemos nos lembrar que ela não é uma identidade individualizada. Ela é uma *continuação*. Seus pais e antepassados vivem dentro dela. Quando ela caminha e fala, eles também caminham e falam. Observando o interior dessa criança, podemos entrar em contato com seus pais e antepassados, da mesma maneira que observando o interior dos pais, podemos enxergar a criança. Nós "intersomos". Tudo depende de todas as coisas que existem no cosmo para se manifestar, seja uma estrela, uma nuvem, uma flor, uma árvore, você e eu.

Certa vez, eu estava em Londres, praticando meditação ao caminhar na rua, quando vi um livro disposto na vitrine de uma livraria. Ele se intitulava *My Mother, Myself* [Minha mãe, eu mesma]. Não comprei o livro, pois imaginei já saber o que ele continha. Sim, somos uma continuação da nossa mãe; nós *somos* a nossa mãe. Portanto, sempre que ficamos chateados com nossa mãe ou pai, também estamos chateados com nós mesmos. As coisas que fazemos são sempre feitas na companhia dos nossos pais. Talvez não seja fácil aceitar isso, mas é a verdade. Não podemos dizer que não queremos ter nada em comum com nossos pais. Eles vivem em nós, assim como nós vivemos neles. Somos a continuação dos nossos antepassados. Graças à impermanência, temos a chance de direcionar nossa herança de uma forma linda.

Quando acendo um incenso ou me prostro frente a um altar no meu mosteiro, não o faço como um ser individual, mas como uma linhagem completa. Sempre que caminho, me sento, me alimento ou pratico caligrafia, eu o faço com a certeza de que meus ancestrais estão dentro de mim naquele momento. Sou a continuação deles. Sempre que estou fazendo algo, a energia da mente atenta me permite fazer isso sendo "nós", não "eu". Quando empunho um pincel de caligrafia, sei que não posso remover o meu pai das minhas mãos. Sei que não posso remover a minha mãe e meus antepassados de mim. Eles estão presentes em todas as minhas células, nos meus gestos, na minha capacidade de desenhar um lindo círculo. Da mesma maneira, não posso remover meus mestres espirituais das minhas mãos. Eles estão presentes na paz, na concentração e na atenção plena que desfruto ao desenhar o círculo. Todos desenhamos o círculo juntos. Não existe um ser individualizado fazendo isso. Enquanto pratico caligrafia, eu toco na profunda sabedoria do não ser. E isso se torna uma prática de meditação profunda.

Em casa ou no trabalho, podemos praticar enxergar todos os nossos ancestrais e mestres presentes em nossas ações. Podemos observar suas presenças quando expressamos um talento ou uma habilidade que eles nos transmitiram. Podemos viver uma profunda conexão ou nos libertamos da ideia de que somos um ser individual.

VOCÊ É UM RIO

Podemos contemplar a vacuidade em nosso interser no espaço, pois nos relacionamos com tudo e todos que estão ao nosso redor. Também podemos contemplar o vazio em termos da impermanência no tempo. A impermanência significa que nada permanece igual em dois momentos consecutivos. O filósofo grego Heráclito de Éfeso disse: "Não podemos nos banhar duas vezes no mesmo rio." O rio não para de fluir. Portanto, quando saímos de suas águas, para logo voltarmos a nos banhar nele, essas águas já serão outras. E, nesse curto espaço de tempo, nós também teremos mudado. Em nosso corpo, células estão morrendo e nascendo a cada segundo. Nossos pensamentos, percepções, sentimentos e estado mental também estão mudando de um momento a outro. Por isso, não podemos nadar duas vezes no mesmo rio, da mesma maneira que não podemos ser a mesma pessoa duas vezes. Nosso corpo e mente vivem em constante e eterna mutação. Mesmo parecendo ser a mesma pessoa, tendo o mesmo nome, somos diferentes. Por mais sofisticados que sejam nossos instrumentos científicos, não podemos encontrar nada em nós que permaneça igual e que poderíamos chamar de alma ou eu. Quando aceitamos a realidade da impermanência, também devemos aceitar a verdade do não ser.

A concentração na vacuidade e na impermanência ajuda a nos libertar de nossa tendência a achar que somos seres individuais. São vislumbres que nos ajudam a sair da prisão de nossas visões equivocadas. Devemos treinar a nós mesmos para sustentarmos o vislumbre da vacuidade enquanto observamos uma pessoa, um pássaro, uma árvore ou uma pedra. Isso é muito diferente de permanecermos sentados, especulando sobre o vazio. Devemos *enxergar* de verdade a natureza da vacuidade, do interser, da impermanência, em nós mesmos e nos outros.

Você, por exemplo, pode me chamar de vietnamita. Pode ter certeza de que sou um monge vietnamita. Porém, na verdade, do ponto de vista legal, eu não tenho um passaporte vietnamita. Culturalmente falando, tenho elementos franceses dentro de mim, assim como chineses e indianos. Nos meus escritos e ensinamentos, é possível descobrir várias fontes de influências culturais. E, pelo viés étnico, a raça vietnamita não existe. Em mim, existem elementos malaios, indonésios e mongóis. Assim como a flor é feita de elementos não-flor, eu sou feito de elementos não-eu. O vislumbre do interser nos ajuda a alcançar a sabedoria da não discriminação. E nos liberta. Não queremos mais pertencer a uma área geográfica ou identidade cultural. Enxergamos a presença do cosmo inteira em nós. Quanto mais observamos com o vislumbre da vacuidade, mais descobrimos e mais profundo é o nosso entendimento. E, de uma forma natural, isso nos traz compaixão, liberdade e nos liberta do medo.

POR FAVOR, ME CHAME PELOS MEUS NOMES VERDADEIROS

Eu me lembro de um dia, na década de 1970, quando trabalhava para a Delegação de Paz Budista Vietnamita em Paris, e recebi uma péssima notícia. Muita gente tinha abandonando o Vietnã de barco, o que é sempre perigoso. Não havia apenas o perigo das tempestades e da falta de comida, combustível ou água, mas também o risco de ser atacado por piratas, que eram ativos ao longo da costa da Tailândia. A história que ouvimos era trágica. Os piratas tinham tomado um barco, roubaram os bens e estupraram uma menina de onze anos. Quando o pai tentou intervir, foi atirado ao mar. Após o ataque, a menina também se lançou ao mar. Os dois morreram.

Após ouvir essas notícias, eu não consegui dormir. As sensações de tristeza, compaixão e pena eram muito fortes. Porém, sendo praticantes, não podemos permitir que sentimentos de raiva e impotência nos paralisem. E eu pratiquei meditação caminhando, sentado e respiração consciente para observar a situação de forma mais profunda, para tentar entender.

Imaginei que eu era um menino nascido em uma pobre família tailandesa, com um pai que era um pescador iletrado. Ao longo de várias gerações, meus antepassados viveram na pobreza, sem educação, sem ajuda. Eu também cresci sem receber educação, e talvez imerso em violência. Então, certo dia, alguém me convidou para fugir pelo mar e fazer fortuna como pirata. Eu, tolo, concordei, pois estava desesperado para dar um fim àquele terrível ciclo de pobreza. E então, sufocado pela pressão dos meus colegas piratas, e sem patrulhas costeiras para me impedir, eu me lancei sobre uma linda e jovem menina.

Durante toda a minha vida, nunca me ensinaram a amar e compreender. Eu nunca recebi educação. Ninguém jamais me mostrou um futuro. Se você estivesse naquele barco, com uma arma nas mãos, poderia ter atirado em mim. Poderia ter me matado. Mas não seria capaz de me ajudar.

Naquela noite em Paris, meditando, eu percebi que centenas de bebês continuavam nascendo em circunstâncias similares, e um dia se transformariam em piratas, a menos que eu fizesse algo para ajudá-los. Ao perceber tudo isso, minha raiva desapareceu. Meu coração ficou repleto de uma energia de compaixão e perdão. E eu não segurei apenas a menina de onze anos nos meus braços, mas também o pirata. E me enxerguei neles. Isso é o fruto da contemplação da vacuidade e do interser. E eu percebi que o sofrimento não é apenas individual, mas também coletivo. O sofrimento pode ser transmitido para nós por meio dos nossos antepassados, ou pode existir na sociedade ao nosso redor. Quando minha culpa e ódio desapareceram, eu me tornei determinado a viver de forma a ajudar não apenas as vítimas, mas também os perpetradores.

Portanto, se você me chamar de Thich Nhat Hanh, eu direi: "Sim, esse sou eu." E se me chamar de jovem menina, eu direi: "Sim, essa sou eu." E se me chamar de pirata, eu também direi: "Sim, esse sou eu." Todos esses são meus nomes verdadeiros. Se você me chamar de criança empobrecida e sem futuro em uma zona de guerra, eu direi: "Sim, essa sou eu." E se me chamar de vendedor de armas para essa área de conflito, eu direi: "Sim, esse sou eu." Nós somos todas essas pessoas. Nós "intersomos" com todos.

A ARTE DE VIVER

Quando nos libertamos da ideia de individualidade, surgem a compaixão, o entendimento e a energia de que precisamos para ajudar.

DOIS NÍVEIS DE VERDADE

Na linguagem cotidiana, dizemos "você", "eu", "nós" e "eles" porque tais designações são úteis. Elas identificam sobre quem ou o que estamos falando. Mas é importante perceber que são apenas designações convencionais. São verdades relativas, e não a única verdade. Somos muito mais do que esses rótulos e categorias. É impossível desenhar uma fronteira entre eu, você e o resto do cosmo. O vislumbre do interser nos conecta com a verdade da vacuidade. Os ensinamentos da vacuidade não se relacionam com a "morte" do eu. O eu não precisa morrer. O eu é apenas uma ideia, uma ilusão, uma visão equivocada, uma noção. Não é a realidade. E como algo que não existe poderia morrer? Não precisamos matar o eu, mas sim nos livrarmos da ilusão de um eu individual ao desenvolvermos um profundo entendimento da realidade.

THICH NHAT HANH

NÃO EXISTE DONO, NÃO EXISTE CHEFE

Quando pensamos em nós como donos de um eu individual, de uma existência única, nos identificamos com nossos pensamentos e corpo. Temos a impressão de que somos os chefes e donos do nosso corpo. Podemos pensar "este corpo é meu" ou "esta mente é minha" da mesma forma como pensamos "esta casa é minha", "este carro é meu", "estas são minhas qualificações", "estes são meus sentimentos", "estas são minhas emoções", "este é meu sofrimento". Na verdade, não deveríamos ter tantas certezas.

Quando pensamos, trabalhamos ou respiramos, muitos acreditam que deve haver uma pessoa, um ator, por trás de nossas ações. Acreditamos que "alguém" está agindo. Porém, quando o vento sopra, não há ninguém soprando. Tudo o que existe é o vento, e se ele não soprar, não haverá vento nenhum. Quando dizemos "está chovendo", não existe a necessidade de um "fazedor de chuva" para que a chuva caia. O que é "isso" que chove? Tudo o que existe é a chuva. A chuva está acontecendo.

Da mesma forma, por trás das nossas ações não existe ninguém, nada que possamos chamar de "eu". Quando pensamos, nós somos nosso pensamento. Quando trabalhamos, nós somos o trabalho. Quando respiramos, nós somos a respiração. Quando agimos, nós somos nossas ações.

Certa vez, lembro de ter visto uma caricatura retratando o filósofo francês René Descartes de pé diante de um cavalo. Ele estava com o dedo em riste, declarando: "Penso, logo existo." E o cavalo pensava: "Existe *como*?".

Descartes tentava demonstrar que existe um eu. Pois, segundo a sua lógica, se estou pensando, deve existir um "eu" para que eu possa pensar. Se eu não estou lá, quem está pensando?

Não podemos negar que existe um pensamento. É claro que um pensamento acontece. Na maioria das vezes, o problema é que existem pensamentos demais acontecendo (pensamentos sobre ontem, preocupações sobre o amanhã), e todo esse pensar nos afasta de nós mesmos e do aqui e agora. Quando somos pegos pensando no passado e no futuro, nossa mente não está com nosso corpo; não está em contato com a vida que existe dentro de nós e que nos envolve no momento atual. Portanto, seria mais correto dizer:

Eu penso (demais),
logo existo (mas não vivo a minha vida).

A maneira mais precisa de descrever o processo de pensar não é que existe "alguém" pensando, mas que *um pensamento está se manifestando*, o que é resultado de uma incrível e maravilhosa reunião de condições. Não precisamos de um eu para pensar. O que existe é pensamento, apenas pensamento. Não existe uma entidade individual produzindo esse pensamento. Na medida em que existe o pensador, esse pensador começa a existir ao mesmo tempo que o pensamento. É como a direita e a esquerda. Não podemos ter uma coisa sem a outra, nem uma coisa antes da outra. Elas se manifestam ao mesmo tempo. Quando existe uma esquerda, existe também uma direita. Quando existe um pensamento, existe um pensador. O pensador *está* pensando.

O mesmo é válido para o corpo e a ação. Milhões de neurônios trabalham juntos em nossa mente, em constante comunicação. Eles agem em sintonia, produzindo um movimento, uma sensação, um pensamento ou uma percepção. Porém, não existe um maestro nesse concerto. Não existe um chefe tomando as decisões. Não podemos localizar um ponto na mente ou no corpo que esteja controlando tudo. Existem as ações do pensamento, dos sentimentos e das percepções, mas não existe um ator ou uma entidade individual produzindo esse pensamento, esses sentimentos e essas percepções.

Em 1966, em Londres, eu vivi uma experiência poderosa ao contemplar uma múmia no Museu Britânico. Ela estava naturalmente preservada em areia, deitada em posição fetal, há mais de mil anos. Fiquei um bom tempo por lá, muito concentrado, contemplando aquele corpo.

Algumas semanas mais tarde, em Paris, eu acordei de repente, no meio da noite, e quis tocar minhas pernas para checar se não tinha me tornado uma múmia como aquela. Eram duas da madrugada, e eu me sentei na cama. Contemplei a múmia e meu próprio corpo. Após ter ficado cerca de uma hora sentado, eu me sentia como a água da chuva rolando uma montanha. Lavando, lavando. Por fim, me levantei e escrevi um poema. E o intitulei "The Great Lion's Roar" [O rugido do grande leão]. O sentimento era muito claro e as imagens fluíam livremente. Elas jorravam, como um grande contêiner de água sendo entornado. E o poema começava com essas linhas:

> *Uma nuvem branca vaga pelo céu*
> *Um buquê de flores floresce*
> *Nuvens que vagam*
> *Flores que florescem*
> *As nuvens são o vagar*
> *As flores são o florescer*

Eu percebi claramente que, se uma nuvem não flutua, ela não é uma nuvem. Se uma flor não floresce, ela não é uma flor. Sem o flutuar, não existe nuvem. Sem o florescer, não existe flor. Não podemos separar as duas coisas. Não podemos separar a mente do corpo nem retirar o corpo da mente. Eles "intersão". Assim como encontramos a flor no florescimento, encontramos um ser humano na energia de ação. Se não existe energia de ação, não existe ser humano. Como diz a famosa frase do filósofo existencialista francês Jean-Paul Sartre: "O homem é o somatório das suas ações." Nós somos o somatório do que pensamos, dizemos e fazemos. Assim como uma laranjeira produz lindas flores, folhas e frutos, nós produzimos pensamentos, palavras e ações. E assim como acontece com a laranjeira, nossas ações amadurecem o tempo inteiro. Só podemos nos encontrar nas ações do nosso corpo, em nosso discurso, em nossa mente, em um contínuo de energia ao longo do espaço e do tempo.

NÃO EM UMA ESTUPA

Há mais de dez anos, uma de minhas discípulas no Vietnã construiu uma estupa (um templo budista) destinada a receber minhas cinzas. Eu lhe disse que não precisava de uma estupa para as minhas cinzas. Eu não queria ser aprisionado em uma estupa. Eu queria estar em todos os lugares.

Mas ela protestou: "Eu já construí."

"Sendo assim", eu disse, "coloque uma inscrição na entrada dizendo: 'Eu não estou aqui.'". E é verdade. Eu não estarei naquela estupa. Ainda que meu corpo seja cremado e minhas cinzas sejam levadas para lá, essas cinzas não serão eu. Eu não estarei lá. Por que gostaria de estar lá se o mundo aqui fora é tão bonito?

Porém, pensando que algumas pessoas poderiam não entender, pedi a ela que incluísse mais uma inscrição: "Também não estou do lado de fora." Ninguém me encontrará nem dentro nem fora da estupa. No entanto, mesmo assim as pessoas poderiam se confundir, então provavelmente deveria ser incluída uma terceira inscrição, dizendo: "Se existe algum lugar onde posso ser encontrado, é na sua forma de respirar e caminhar em paz." Essa é a minha continuação. Mesmo que talvez nunca tenhamos nos encontrado pessoalmente, se quando você inspira encontra paz em sua respiração, eu estou ao seu lado.

Costumo contar uma história da Bíblia, do Evangelho de Lucas, sobre dois discípulos que viajavam a Emaús após a morte de Jesus. No caminho, eles encontraram um homem e começaram a conversar com ele. Passado um tempo, pararam para comer em uma estalagem. Quando os dois discípulos observaram a maneira como o homem cortou o pão e serviu o vinho, eles reconheceram Jesus.

Essa história ensina que nem Jesus pode ser encontrado em seu corpo físico. Sua realidade de vida se estende para muito além dele. Jesus estava completamente presente na maneira como o pão foi cortado e o vinho servido. Aquilo era o Cristo vivo. Por isso, Ele pode dizer: "Onde estiverem dois ou três reunidos em meu nome, aí estou eu no meio deles." E não apenas Jesus, Buda ou qualquer outro grande mestre espiritual permanece conosco após sua morte; todos continuamos como energia, mesmo muito tempo após nosso corpo físico ter alterado sua forma.

SEU AMADO NÃO É UM EU

Quando nos prostramos diante de Buda ou reverenciamos Jesus Cristo, estamos reverenciando o Buda que viveu há dois mil e quinhentos anos ou o Cristo que viveu há dois mil anos? Quem estamos reverenciando? Estamos reverenciando um eu? Nós aprendemos que Buda e Jesus Cristo são seres humanos como nós. Todos os seres humanos são constituídos pelos cinco rios sempre em mutação e em constante fluxo do corpo físico, das sensações, das percepções, das formações mentais e da consciência. Você, eu, Jesus Cristo e Buda… estamos em contínua mutação.

Dizer que o Jesus Cristo de hoje é igual ao que viveu há dois mil anos é um erro, pois nem em seus trinta anos de vida Jesus foi sempre o mesmo. E isso também é verdade no caso de Buda. Aos trinta anos de idade, Buda era diferente do que foi aos quarenta. E depois aos oitenta. Ele, assim como nós, viveu em constante evolução e mutação. Portanto, que Buda queremos? O de oitenta ou o de quarenta anos? Podemos visualizar Buda com um certo tipo de rosto e corpo, mas sabemos que seu corpo é transitório e vive em constante mutação. Ou podemos pensar que Buda não existe mais, ou que o Jesus Cristo do passado não está mais presente. Porém, isso também seria incorreto, pois sabemos que nada pode ser perdido. O Buda não é um ser individual, ele é as suas ações. O que são as ações dele? São a prática da liberdade e do despertar a serviço de todos os seres, e tais ações continuam existindo. Buda continua aqui, mas não da forma como costumamos imaginar.

Todos podemos nos conectar diretamente com Buda graças a um tipo de ação. Quando somos capazes de caminhar alegres sobre a Terra, estar em contato com as maravilhas da vida (com os lindos pássaros, árvores e o céu azul), nos sentindo felizes, em paz e à vontade, nessa ocasião nos tornamos uma continuação de Buda. O Buda não é algo fora de nós. Ele é um tipo de energia que está dentro de nós. A cada dia, o Buda vivo evolui e cresce, manifestando-se de novas formas.

QUE IDADE VOCÊ TERÁ NO CÉU?

Na década de 1970, em nossa Delegação de Paz Budista em Paris, uma inglesa trabalhava como voluntária. Embora tivesse mais de setenta anos, sua saúde era ótima, e todas as manhãs ela subia os cinco lances de escadas até nosso escritório. Ela era anglicana, dona de uma fé arraigada. Acreditava firmemente que subiria aos céus após morrer, onde se reuniria com seu lindo e gentil marido, morto aos 33 anos.

Certo dia, eu lhe perguntei: "Após morrer e subir aos céus, onde encontrará o seu marido, ele estará com 33 ou com setenta ou oitenta anos? E quantos anos você terá? Será estranho para você, com mais de setenta anos, encontrá-lo com apenas 33?". Algumas vezes, nossa fé é muito simples.

Ela ficou confusa, pois nunca se perguntara isso, simplesmente acreditava que se reencontrariam. Com o vislumbre do interser (a compreensão de que intersomos uns com os outros e com a vida), não precisamos esperar para nos reencontrarmos com nossos entes queridos no céu. Eles estão aqui, conosco.

NADA ESTÁ PERDIDO

Algumas pessoas acreditam que um eu eterno continua a existir quando o corpo se desintegra. Podemos chamar tal crença de uma espécie de "eternalismo". Outras acreditam que após a morte não existe nada. Isso é um tipo de niilismo. Devemos evitar esses dois extremos. O vislumbre da impermanência e do interser nos diz que não existe um eu eterno e individual, e a primeira lei da termodinâmica (a lei da conservação de energia) nos diz que nada pode ser criado ou destruído, apenas transformado. Portanto, não é científico acreditar que após a decomposição do nosso corpo nos transformamos em nada.

Enquanto estamos vivos, nossa vida é energia, e após a nossa morte continuamos a ser energia. Essa energia está em constante mutação e transformação. Ela nunca poderá ser perdida.

Não podemos afirmar que após a morte não existe nada.
Uma coisa não pode se transformar em nada.

Se perdemos pessoas muito próximas e estamos tristes, as concentrações na vacuidade e na inseparabilidade nos ajudam a olhar profundamente para dentro de nós mesmos e enxergar que essas pessoas ainda existem. Nossos entes queridos continuam vivos dentro de nós e ao nosso redor. Eles são muito reais. Não os perdemos. Ainda é possível reconhecê-los de formas diferentes, e até de maneiras mais bonitas do que no passado.

À luz da vacuidade e do interser, sabemos que eles não morreram nem desapareceram; mas continuam em suas ações e em nós. Ainda podemos falar com eles. Podemos dizer coisas como: "Eu sei que você está aqui. Eu estou respirando por você. Estou sorrindo por você. Estou desfrutando da vista ao meu redor com os seus olhos. Estou desfrutando da vida com você. E sei que você continua aqui, bem perto de mim, e sei que continua em mim".

FORÇA VITAL

Não existe chefe, dono ou ator por trás das nossas ações, nem um pensador por trás dos nossos pensamentos. Sendo assim, por que temos essa sensação de "eu"? Na psicologia budista, a parte da nossa consciência com a tendência de criar essa sensação é conhecida em sânscrito como *manas*. E manas é o equivalente ao que Freud, na psicanálise, chamou de "id". Ela se manifesta nas profundezas de nossa consciência. É nosso instinto de sobrevivência e sempre chama nossa atenção para evitarmos a dor e buscarmos o prazer. Manas vive dizendo: "Isto sou eu; este é o meu corpo; isto é meu", pois não consegue perceber a realidade com clareza. Ela tenta proteger e defender o que erroneamente acredita ser o eu. Porém, isso nem sempre é boa para a nossa sobrevivência. Manas não consegue enxergar que somos feitos apenas de elementos não-eu, e que aquilo que ela acredita ser o eu não é uma entidade individual. Não consegue enxergar que sua visão errônea do eu pode nos trazer muito sofrimento e nos afastar de uma vida feliz e livre. Contemplando a interconexão entre nosso corpo e o meio ambiente, podemos ajudar manas a transformar seus erros e a enxergar a verdade.

Não precisamos nos livrar de manas, pois ela é uma parte natural da vida. Ela chama o corpo de "eu" e "meu" porque um de seus principais papéis é manter nossa força vital. Essa força vital é o que Henri Bergson, filósofo francês do século XX, chamou de *élan vital*. Como qualquer espécie, nós queremos viver e temos uma forte tendência a nos apegar e proteger nossa vida, defendendo-nos do perigo. No entanto, devemos ter o cuidado de não permitir que nossos instintos de autopreservação e autodefesa nos levem a pensar que somos donos de um eu individualizado. O vislumbre do interser e do não-eu podem nos ajudar a usar nossa força vital (que Freud chamou de sublimação) para agir na vida protegendo e ajudando os demais, perdoando e reconciliando, ajudando e protegendo a Terra.

Certo dia, sem querer, eu esqueci um pedaço de gengibre em um canto do meu mosteiro. Um tempo depois, acabei descobrindo que ele brotara. Aquele toco de gengibre estava gerando uma planta. Em seu interior, havia vida. O mesmo pode acontecer com uma batata. Em tudo existe essa vitalidade de querer seguir em frente e ser continuado. Isso é muito natural. Todas as coisas querem viver. Por isso, coloquei o gengibre em um vaso com um pouco de terra e deixei que crescesse.

Quando uma mulher fica grávida, existe uma força vital guiando o desenvolvimento da criança. A força vital da mãe e a força vital do feto não são a mesma coisa nem são diferentes. A força vital da mãe entra na criança e a da criança entra na mãe. Elas são uma coisa só, e pouco a pouco se separam uma da outra. Porém, certas vezes, pensamos que quando um bebê nasce ele passa a ser um eu individualizado. Como se seu corpo, suas sensações, suas percepções, suas formações mentais e sua consciência fossem diferentes do que existe na mãe. Podemos pensar que é possível separar a criança da mãe, mas a verdade é que uma relação de continuação persiste. Olhando para a criança, vemos a mãe, e olhando para a mãe, vemos a criança.

EXERCÍCIO: A MÃO DE SUA MÃE

Você se lembra de quando, ainda criança, ficava com febre? E de como se sentia mal? Porém, quando sua mãe ou seu pai, ou talvez um avô ou avó, pousava uma das mãos em sua testa, a sensação era maravilhosa. Você sentia o néctar do amor nessa mão, e isso era suficiente para confortá-lo e animá-lo. O mero fato de saber que essa pessoa estava por perto, ao seu lado, era um alívio. Se você não vive perto da sua mãe, ou se ela já não está mais presente em sua forma corporal, você deverá olhar profundamente e ver que, na verdade, ela estará sempre ao seu lado. Você a carrega em cada célula do seu corpo. A mão de sua mãe continua sobre a sua. Se os seus pais já faleceram e você treina esse tipo de observação profunda, poderá manter um relacionamento ainda mais próximo com eles do que alguém cujos pais continuam vivos, mas que não mantém uma boa comunicação entre si.

Aproveite para observar a sua mão. Você consegue enxergar a mão da sua mãe ou do seu pai na sua? Olhe atentamente para a sua mão. Com este vislumbre, e com todo o amor e carinho dos seus pais, leve sua mão à testa e sinta como se sua mãe ou seu pai a estivessem tocando. Permita-se ser tocado pelos pais que existem dentro de você. Eles sempre estarão ao seu lado.

SERES VIVOS

Temos a tendência de fazer uma distinção entre as formas de vida animadas e inanimadas. Mas a observação demonstra que existe força vital mesmo em objetos que consideramos inanimados. É possível perceber força vital e consciência em um toco de gengibre e em uma noz. O gengibre sabe como se tornar uma planta, e a noz sabe como se tornar uma árvore. Não podemos chamar essas coisas de inanimadas, pois elas sabem o que fazer. Até uma partícula subatômica ou um grão de poeira tem vitalidade. Não existe nenhuma linha divisória entre os animados e os inanimados, entre a matéria viva e a inerte. Na chamada matéria inerte, existe vida, e os seres vivos dependem dessa matéria. Arrancando os chamados elementos inertes de nós, não seríamos capazes de viver. Nós somos feitos de elementos não humanos. Foi isso o que nos ensinou o Sutra do Diamante, um antigo texto budista que pode ser considerado o primeiro tratado mundial de ecologia profunda. Não podemos estabelecer uma distinção estanque entre os seres humanos e os outros seres vivos, ou entre os seres vivos e as matérias inertes.

Existe vitalidade em tudo.
O cosmo inteiro está radiante de vitalidade.

Se enxergamos a Terra apenas como um mero bloco de matéria que vive fora de nós, não a enxergamos verdadeiramente. Devemos ser capazes de perceber que somos parte da Terra, e que a Terra inteira existe em nós. A Terra também está viva. Ela tem inteligência e criatividade. Se a Terra fosse uma matéria inerte, não poderia gerar tantos seres excepcionais como Buda, Jesus Cristo, Maomé e Moisés. A Terra também é a mãe dos nossos pais. Se observarmos indiscriminadamente, podemos estabelecer um relacionamento bem próximo com a Terra. Nós olhamos para a Terra com o nosso coração, não com os olhos de um racionalismo frio. Você é o planeta, e o planeta é você. O bem-estar do seu corpo não é possível sem o bem-estar do planeta. Por isso, para proteger o bem-estar do corpo, devemos proteger o bem-estar do planeta. Esse é o vislumbre da vacuidade.

VOCÊ É UMA ALMA GÊMEA DE BUDA?

Na época de Buda, existia uma série de religiosos e mestres espirituais, e cada um deles defendia um caminho e uma prática espiritual distintos. Cada um deles dizia que seus ensinamentos eram os melhores e os mais corretos. Certo dia, um grupo de pessoas resolveu perguntar a Buda: "De todos esses, em quem devemos acreditar?".

"Não acreditem em nada, nem mesmo no que eu disser a vocês!", ele respondeu. "Mesmo sendo uma doutrina antiga, mesmo tendo sido ensinada por um mestre renomado, vocês devem usar de inteligência e ter uma mente crítica para examinar cuidadosamente tudo o que virem e ouvirem. Depois, devem pôr esse ensinamento em prática para perceber se ele ajuda a libertá-los dos seus sofrimentos e dificuldades. Se isso acontecer, podem acreditar nele". Se queremos ser almas gêmeas de Buda, devemos nutrir uma mente crítica e criteriosa como essa.

Se não deixarmos que nossas crenças evoluam, se não mantivermos uma mente aberta, arriscamos acordar um dia e descobrir que perdemos a fé no que antes acreditávamos. Isso pode ser devastador. Como praticantes de meditação, não devemos aceitar nada baseados em uma fé cega, enxergando tal fato como uma verdade absoluta e imutável. Devemos investigar e observar a realidade com atenção plena e concentração, para que nosso entendimento e nossa fé possam se aprofundar a cada dia. Esse é o tipo de fé que não perdemos, pois não está baseada em ideias ou crenças, mas na realidade experimentada.

EXISTE REENCARNAÇÃO?

Muitos de nós resistimos à ideia de que um dia morreremos. Ao mesmo tempo, queremos saber o que acontece quando uma pessoa morre. Algumas pessoas acreditam que iremos para o céu e viveremos felizes por lá. Para outras, a vida parece muito curta e merecemos uma nova chance, para tentarmos ser melhores da próxima vez. Por isso a ideia de reencarnação é tão atraente. Podemos esperar que pessoas que cometeram atos de violência sejam alvo de justiça em uma próxima vida e paguem por seus crimes, ou podemos ter medo do nada, do esquecimento, do deixar de existir. Logo, quando nosso corpo começa a envelhecer e se desintegrar, é tentador pensar que teremos uma oportunidade de recomeçar em um corpo jovem e saudável, como se descartássemos nossas roupas velhas e desgastadas.

A ideia da reencarnação sugere existir uma alma, um eu ou um espírito separado que, de certa forma, abandona o corpo na hora da morte, voando para longe, para depois reencarnar em outro corpo. É como se o corpo fosse uma espécie de casa para a mente, para a alma ou para o espírito. Isso implica que mente e corpo podem ser separados um do outro; e que, mesmo o corpo sendo impermanente, a mente e o espírito são, de alguma forma, permanentes. Porém, nenhuma dessas ideias está em consonância com os profundos ensinamentos do budismo.

Podemos falar em dois tipos de budismo: o popular e o profundo. Públicos distintos precisam de ensinamentos distintos, e estes devem ser sempre adaptados para serem apropriados ao público em questão. É por isso que existem milhares de maneiras de entrar em contato com os ensinamentos, o que permite que vários tipos de pessoas possam se beneficiar e experimentar a transformação e o alívio de seus sofrimentos. Na cultura do budismo popular, costuma-se dizer que existem incontáveis reinos infernais nos quais podemos cair após morrermos. Muitos templos exibem vívidas ilustrações do que poderia acontecer conosco nesses lugares. Se somos mentirosos nessa vida, por exemplo, nossa língua será cortada na próxima. Essas poderiam ser "formas habilidosas" de motivar as pessoas a viverem de maneira mais ética. Essa abordagem pode ajudar algumas pessoas, mas não outras.

Embora tais ensinamentos *não* estejam de acordo com a verdade absoluta, muitas pessoas tiram benefícios deles. Porém, com compaixão, habilidade e compreensão, podemos ser capazes de ajudar uns aos outros se gradualmente nos libertarmos de nossos pontos de vista atuais e aprofundarmos nosso entendimento. Se queremos inaugurar uma nova forma de observar a vida e a morte, e também o que acontece após a morte, devemos ser capazes de abandonar nossa perspectiva atual e permitir o surgimento de um entendimento mais profundo. Se queremos subir uma escada, devemos deixar um degrau para trás e seguir para o próximo. Se nos mantivermos atados ao que enxergamos agora, não seremos capazes de progredir.

No início, eu nutria certas ideias sobre mente atenta, meditação e budismo. Após dez anos de prática, meu entendimento era muito melhor. Após quarenta ou cinquenta anos, meu vislumbre e meu entendimento se aprofundaram ainda mais. Todos estamos caminhando, todos estamos progredindo, e ao longo do caminho devemos estar prontos para abandonar nossa perspectiva atual e nos abrirmos ao novo, a uma visão mais profunda, que nos aproxime da verdade; uma visão mais apta a transformar nossos sofrimentos e cultivar a felicidade. Sejam lá quais forem nossas perspectivas, devemos ter cuidado para não sermos pegos pensando que ela é a "melhor" e que *só nós* conhecemos a verdade. O espírito do budismo é muito tolerante. Devemos manter nossos corações abertos às pessoas com diferentes pontos de vista ou crenças. Sermos receptivos e desapegados de nossas perspectivas é fundamental para o budismo. Por isso, embora existam dezenas de escolas diferentes de budismo, os budistas nunca empreenderam uma guerra santa uns contra os outros.

A NATA DOS ENSINAMENTOS BUDISTAS

O contexto espiritual da antiga Índia manteve uma forte influência nos ensinamentos de Buda. O budismo é feito de elementos não budistas da mesma maneira que uma flor é feita de elementos não florais. No Ocidente, o budismo costuma ser associado às ideias de reencarnação, carma e retribuição, mas esses não são conceitos originais do budismo. Eles já estavam bem estabelecidos quando o budismo deu início aos seus ensinamentos. Na verdade, eles não estavam no âmago dos pensamentos de Buda.

Na antiga Índia, a reencarnação, o carma e a retribuição eram ensinados com base na ideia da existência do eu. Havia uma crença bem enraizada no eu permanente, que reencarnava e recebia retribuições cármicas por ações feitas durante a vida. Porém, quando Buda ensinou reencarnação, carma e retribuição, o fez à luz do não-eu, da impermanência e do nirvana (nossa natureza verdadeira do não nascimento e não morte). Ele ensinou que não é preciso termos um eu individualizado e imutável para o carma (ações do corpo, fala e mente) continuar existindo.

De acordo com os ensinamentos de Buda sobre o não-eu, a impermanência e o interser, a mente não é uma entidade isolada. Ela não pode abandonar o corpo e reencarnar em outro lugar. Se a mente ou o espírito forem retirados de um corpo, o espírito deixa de existir. Corpo e mente dependem um do outro para existir. Seja lá o que aconteça no corpo, isso influencia a mente. Seja lá o que aconteça na mente, isso influencia o corpo. A consciência confia no corpo para se manifestar. Nossas sensações precisam de um corpo para serem sentidas. Sem um corpo, como seríamos capazes de sentir? Mas isso não significa que desaparecemos quando o corpo morre. Nosso corpo e mente são fontes de energia, e quando essa energia deixa de se manifestar nessas formas, ela se manifesta de outras maneiras: nas ações do nosso corpo, fala e mente.

Não precisamos de um eu permanente e individualizado para colher as consequências de nossas ações. Você é a mesma pessoa que foi no ano passado ou está diferente? Nesta vida, não podemos afirmar que a pessoa que fez boas semeaduras no ano passado é a mesma que colhe os benefícios este ano.

Infelizmente, muitos budistas ainda retêm a ideia do eu para ajudá-los a compreender os ensinamentos sobre reencarnação, carma e retribuição. Mas esse é um tipo bem diluído de budismo, pois perdeu a essência dos ensinamentos de Buda sobre o não-eu, a impermanência e sobre nossa natureza de não nascimento e não morte. Um ensinamento que não reflita tais vislumbres não reflete os ensinamentos budistas mais profundos. As Três Portas da Libertação (vacuidade, ausência de imagem e ausência de objetivo) dão corpo à nata dos ensinamentos de Buda.

No budismo, se alcançamos a realidade do interser, da impermanência e do não-eu, entendemos a reencarnação de uma maneira bem diferente. Percebemos que o renascer é possível sem um eu, que o carma é possível sem um eu, que a retribuição é possível sem um eu.

Todos morremos e renascemos a cada instante. A atual manifestação da vida abre caminho à outra manifestação da vida.

*Nós continuamos em nossas crianças,
em nossos alunos, em todos cuja vida tocamos.*

"Renascer" é uma descrição melhor do que "reencarnar". Quando uma nuvem se transforma em chuva, não podemos dizer que ela "reencarnou" em forma de chuva. "Continuação", "transformação" e "manifestação" são palavras válidas, mas talvez a melhor seja "remanifestação". A chuva é a remanifestação da nuvem. Nossas ações do corpo, fala e mente são um tipo de energia que sempre transmitimos, e essa energia se manifesta de diferentes maneiras, repetidas vezes.

Certa vez, uma criança me perguntou: "Qual é a sensação de estar morto?". Foi uma pergunta muito boa e muito profunda. E eu usei o exemplo da nuvem para falar para essa criança sobre nascimento, morte e continuação. Expliquei que uma nuvem não morre nunca. Que uma nuvem só pode se transformar em outra coisa, como chuva, neve ou granizo. Se somos uma nuvem, nos sentimos como nuvem. E quando nos tornamos chuva, nos sentimos como chuva. Quando nos tornamos neve, nos sentimos como neve. A remanifestação é uma maravilha.

CAPÍTULO 2

AUSÊNCIA DE IMAGEM
AS NUVENS NUNCA MORREM

A morte é essencial para tornar a vida possível.
A morte é a transformação. A morte é a continuação.

Vamos imaginar que, olhando para o céu, vemos uma linda nuvem. E pensamos: "Ah, que nuvem linda!". Pouco mais tarde, voltamos a olhar para o céu, que está limpo e azul, e pensamos: "Ah, aquela nuvem desapareceu". Em dado momento, as coisas parecem existir, mas depois elas se vão. E nós observamos tudo dessa maneira, pois tendemos a estar presos a sinais, aparências e formas familiares, e isso nos impede de enxergar a verdadeira natureza da realidade.

Quando vemos algo que reconhecemos neste mundo, como uma nuvem, dizemos que ela está presente, que existe. E quando a deixamos de ver, dizemos que não está mais lá, que deixou de existir. Mas a verdade subjacente é que essa coisa continua existindo, ainda que sua aparência tenha sido alterada. O desafio é reconhecer essa coisa em suas novas formas. Essa é a meditação da ausência de imagem.

Para compreendermos a verdadeira natureza do nascimento e da morte, e superarmos o medo, a mágoa, a raiva e o pesar, precisamos enxergar as coisas com um olhar ausente de imagens. Se soubermos ver com um olhar ausente de imagens, não será complicado responder à pergunta sobre o que acontece quando morremos.

AUSÊNCIA DE IMAGEM: A SEGUNDA PORTA DA LIBERTAÇÃO

Uma imagem é o que caracteriza a aparência de algo, suas formas. Se reconhecemos as coisas baseados nas imagens, podemos pensar que esta nuvem é diferente daquela, que este carvalho não é uma nogueira, que uma criança não é o seu pai. Em um nível de verdade relativa, tais distinções são úteis. Mas elas podem nos impedir de enxergar a real natureza da vida, que transcende tais imagens. Segundo Buda: "Onde existe imagem sempre existe engano". Com o vislumbre do interser, podemos enxergar a existência de uma profunda conexão entre esta e aquela nuvem, entre um carvalho e uma nogueira, entre um pai e um filho.

A nuvem que estava no céu pode parecer ter desaparecido. Porém, se olharmos bem, veremos que os mesmos elementos que formavam a nuvem agora são chuva, névoa ou neve. A verdadeira natureza da nuvem, o H_2O_2, continua presente, existindo de maneira diferente. É impossível que o H_2O_2 deixe de ser algo para se transformar em nada, passe de ser a não ser. Embora não possamos mais vê-la, a nuvem não morreu. Talvez tenha se transformado em chuva, que mais tarde será a água que chegará a uma torneira, depois à minha chaleira, e encherá minha xícara de chá. A nuvem que ontem estava no céu não desapareceu, tornou-se chá. Ela não morreu, está apenas brincando de pique-esconde!

Você também vive se transformando. Passe as páginas de um álbum de família e veja uma foto sua quando criança. Onde está essa criança agora? Você sabe que ela é você. Vocês têm o mesmo nome, mas ainda assim essa criança não se parece consigo. Você continua sendo essa criança ou se tornou outra pessoa? Essa é uma prática de contemplação da sua própria ausência de imagem. Hoje você parece, fala, age e pensa diferente. Suas formas, sensações, percepções e consciência são muito diferentes. Você não é uma coisa fixa e permanente. Portanto, você não é a mesma pessoa, mas também não é uma pessoa completamente diferente. Quando você deixa de estar preso a imagens e aparências específicas, pode enxergar as coisas com maior clareza. Pode ver que aquela criança continua viva em todas as células do seu corpo. Em qualquer momento é possível escutar e cuidar daquele menino ou menina que existe em você. É possível fazer um convite para que aquela criança respire com você, caminhe com você e desfrute da natureza com você.

O DIA DO SEU NASCIMENTO

Neste exato momento, todos estamos morrendo. Alguns mais lentamente, outros de maneira mais rápida. Se podemos estar vivos agora, é porque estamos morrendo em todos os instantes. Podemos pensar que outra pessoa está morrendo, mas nós não. Porém, não devemos nos deixar enganar pelas aparências.

Existem dois níveis de verdade sobre nascimento e morte. No nível da verdade convencional, podemos dizer que existe nascimento e morte, início e fim, criação e destruição. Podemos, por exemplo, olhar para um calendário e indicar a data em que alguém nasceu e morreu. Em geral, todos temos uma certidão de nascimento, e, sem ela, é complicado conseguir um passaporte ou se matricular em uma escola. E quando morremos, um atestado de óbito é expedido com a data e a hora da nossa morte. Nesse sentido, nascimento e morte são coisas reais. E importantes. São conceitos úteis. Mas não representam completamente a verdade.

Olhando mais profundamente, podemos ver que o momento em que oficialmente nascemos não é realmente o momento do nosso nascimento. Trata-se apenas de um momento de continuação. Antes disso, já existíamos. Passamos oito ou nove meses no útero. Em que momento nos tornamos quem somos? Algumas pessoas afirmam que deveríamos alterar a data do nosso nascimento para o instante em que somos concebidos. Mas isso também não seria muito preciso. Bem antes do momento da nossa concepção, os elementos que nos compõem já estavam presentes no esperma e no óvulo que se uniram para ajudá-lo a se manifestar. E também existíamos nas condições que ofereceram apoio e nutriram nossa mãe durante a gravidez. Aliás, bem antes disso, existíamos em nossos avós. Na verdade, poderíamos atrasar a data do nosso nascimento infinitamente. Não existe um momento em que não existíamos. É por isso que, na tradição Zen, perguntamos coisas como: "Qual era a sua aparência antes do nascimento da sua avó?".

O dia de nosso nascimento oficial é um dia útil para nos lembrarmos da nossa continuação. E cada dia em que estamos vivos é um dia de continuação. No interior do nosso corpo, existem eternos nascimentos e mortes. Estamos começando a existir e abandonando a existência a cada momento de nossa vida. Quando nos coçamos, nossa pele é alterada e novas células nascem. No tempo que gastamos para ler este parágrafo, milhares de células morreram. Mas elas são tantas que seria impossível organizar um funeral para cada uma. Ao mesmo tempo, milhares de novas células nascem, e seria impossível organizar festas de aniversários para elas.

Você se transforma a cada dia.
Uma parte de você está nascendo e outra está morrendo.

Existe uma conexão íntima entre nascimento e morte. Sem uma não existe a outra. Como costumamos dizer, sem a morte de uma semente nunca teremos o fruto.

Tendemos a pensar na morte como algo muito negativo, obscuro e doloroso, mas não é exatamente assim. A morte é essencial para tornar a vida possível. Ela é transformação, é continuação. Quando morremos, outra coisa nasce, embora demore um tempo para se revelar a nós para que possamos reconhecê-la. Pode haver certa dor no momento da morte, ou quando um primeiro botão surge na casca de uma árvore durante a primavera. Porém, sabendo que a morte não é possível sem um nascimento, somos capazes de suportar a dor. Devemos observar profundamente para reconhecer a manifestação do novo quando algo morre.

PIQUE-ESCONDE

Em meu monastério francês, existe um arbusto de marmelo-japonês. O arbusto costuma florescer na primavera, porém, certa vez, durante o inverno, fez muito calor e as flores se adiantaram. No entanto, durante a noite, surgiu um frio repentino, que trouxe com ele uma geada. No dia seguinte, ao fazer meditação caminhando, percebi que os botões do arbusto estavam mortos. Foi uma imagem triste. Aqueles botões não tinham nem visto a luz do dia e já tinham morrido.

Poucas semanas mais tarde, o calor voltou, e, durante a minha caminhada, percebi novos botões no arbusto. Eles eram lindos, jovens e cheios de frescor. Fiquei maravilhado e perguntei a eles: "Vocês são os mesmos botões que morreram na geada ou são outros?". E as flores responderam: "Não somos os mesmos nem somos diferentes. Quando as condições são propícias, nós nos manifestamos. Quando não, nos escondemos".

Antes de minha mãe dar à luz a mim, ela esteve grávida de outro menino, mas o perdeu. Quando eu era novo, sempre me perguntava: quem pretendia se manifestar, eu ou o meu irmão? Quando um bebê é perdido, isso significa que as condições não são suficientes para que ele se manifeste, e a criança decide desistir e esperar uma melhor oportunidade. "Vou desistir. Volto logo, minha querida". Devemos respeitar sua vontade. Se enxergamos o mundo com esses olhos, sofremos muito menos. O bebê que minha mãe perdeu era o meu irmão? Ou talvez tenha sido eu, que estava a ponto de vir ao mundo, mas resolvi dizer: "Ainda não é o momento", e desisti.

O vislumbre da vacuidade e da ausência de imagem pode nos ajudar na libertação das nossas penas. O menino não tem um eu individualizado. Um bebê é feito da mãe, do pai e de várias outras causas e condições. Quando tais elementos voltarem a se reunir, o próximo bebê não será igual nem diferente. Nada é perdido.

SEU PERÍODO DE VIDA É ILIMITADO

Quando falamos em um "dia de nascimento" ou "hora da morte", essas coisas não passam de noções. Dizer que temos um "período de vida" também é apenas uma noção. Tais marcas e sinais são designações convencionais e úteis enquanto verdade relativa, mas não são a verdade total. Não são a realidade. Se sentimos medo, raiva ou tristeza frente à morte, isso significa que continuamos presos a noções incorretas de vida e morte. Acreditamos que a morte significa que, de algo, nos tornaremos nada. Porém, se enxergamos as formas nas quais existimos além dos nossos corpos, alterando constantemente nossas formas, percebemos que nada se perde, e deixamos de sentir tanto medo ou raiva.

Quando uma nuvem se transforma em chuva, podemos ter a tentação de dizer que a nuvem morreu. Porém, nós sabemos que a verdadeira natureza da nuvem (H_2O_2) não está morta. Ela se tornou chuva. Se queremos enxergar a verdadeira natureza de uma nuvem, devemos nos libertar da imagem "nuvem". A morte de uma nuvem é, ao mesmo tempo, o nascimento da chuva. Se uma nuvem não morre, como a chuva poderia nascer? Mas a nuvem não precisa esperar até este momento para enxergar o nascimento da chuva. Pois, assim como nós, a nuvem está morrendo a todo instante.

Digamos que você esteja fervendo água. Quando a água aquece, forma-se um vapor, e essa transformação é mais rápida quanto mais alta é a temperatura. Quando ela se aproxima dos cem graus Celsius, mais água se transforma em vapor. A evaporação é, ao mesmo tempo, a morte da água e o nascimento do vapor, que mais tarde se transformará em uma nuvem no céu. O mesmo é válido para nós. Às vezes, existe uma lenta transformação; em outras, a transformação é mais abrupta.

Não precisamos esperar até que a água da nossa vida se aproxime dos cem graus para enxergar isso, pois até lá pode ser tarde demais. Devemos aproveitar o momento atual, quando estamos vivos, para compreender a vida e a morte, pois assim nos libertaremos das ansiedades, medos e mágoas. E morrer lenta ou rapidamente é a mesma coisa. Com esse vislumbre, a qualidade da nossa vida aumenta, e nós podemos apreciar cada momento. Um dia vivido profundamente com esse vislumbre pode valer mais do que cem dias vividos sem ele.

*O que importa é a qualidade da nossa vida,
não sua duração.*

VIVO OU MORTO?

Quando olhamos para um carvalho, pode ser difícil imaginar que ele nasceu de uma noz. Essa noz continua viva? Se sim, por que não a vemos? Ou será que a noz deixou de existir? Se ela morreu, como o carvalho pode existir?

Os ensinamentos sobre ausência de imagem ajudam a nos libertar de nossa tendência a classificar tudo. E, em geral, tentamos acomodar a vida em quatro categorias:

1. Está vivo?
2. Está morto?
3. Ainda pertence ao reino do ser? Em outras palavras, ainda existe?
4. Passou ao reino do não ser? Deixou de existir?

A verdade é que não podemos acomodar a realidade nas categorias de "existente" e "não existente". Quando alcançamos a verdade última, percebemos que as categorias "vivo" e "morto" não se aplicam, seja para uma nuvem, uma noz, um elétron, uma estrela, nós mesmos ou nossos entes queridos.

Assim como precisamos nos libertar da ideia de que existe um eu, ou de que o ser humano é diferente dos demais seres vivos, também precisamos nos libertar da imagem e da aparência de um período de vida. Seu período de vida não é limitado a setenta, oitenta ou cem anos, e isso é uma boa notícia. O seu corpo não é o seu eu. Você é muito mais do que o seu corpo. A sua vida não conhece fronteiras.

VOCÊ É MUITO MAIS DO QUE ESTE CORPO

Neste momento, você já deve ter começado a perceber que não somos limitados ao nosso corpo físico, nem mesmo enquanto estamos vivos. Nós intersomos com nossos antepassados, descendentes e com o cosmo por inteiro. Não temos um eu individualizado, nunca nascemos realmente, e nunca morremos realmente. Somos interconectados com toda a vida, e vivemos em constante transformação.

As tradições budistas desenvolveram várias maneiras de visualizar nossa vida sem fronteiras, e uma dessas maneiras é enxergar que, além do nosso corpo humano, temos vários outros "corpos". Algumas tradições dizem que temos três; outras, cinco ou seis. Observando com cuidado, compreendendo a natureza da vacuidade e da ausência de imagem, além do vislumbre do interser, podemos identificar ao menos oito corpos diferentes. Quando conseguimos reconhecer e experimentar todos os nossos corpos, vivemos nossa vida de maneira mais plena e encaramos a desintegração do nosso corpo físico sem medo.

Aqui, a palavra "corpo" significa apenas uma coleção de energias, um corpo de energia. A ciência moderna nos diz que tudo que percebemos é energia. Certos tipos de energia nós podemos ver ou detectar com nossos sentidos, outros, apenas com instrumentos especializados. Existem também os tipos de energia que ainda não aprendemos a mensurar, mas que mesmo assim podemos ser capazes de sentir e perceber.

Temos uma relação bem próxima com nossos oito corpos. Podemos cuidar deles, para que estejam presentes, fortes e saudáveis quando necessitarmos de sua ajuda, e para que reúnam as qualidades que gostaríamos que continuassem após a nossa morte.

Um de meus alunos disse: "Se eu tenho oito corpos, então preciso tomar banho oito vezes, uma para cada corpo!". Porém, quando enxergamos a interconexão entre os corpos, percebemos a necessidade de um único banho consciente, e economizamos muita água.

É uma maravilha termos tantos corpos. Mas não aceite o que eu digo. Investigue e enxergue você mesmo.

PRIMEIRO CORPO: O CORPO HUMANO

Graças ao nosso corpo humano, podemos sentir, nos curarmos e nos transformarmos. Podemos experimentar todas as maravilhas da vida. Podemos nos aproximar e cuidar das pessoas que amamos. Podemos nos reconciliar com qualquer membro da nossa família. Podemos ouvir o som do canto dos pássaros e o ruído da maré subindo. E podemos agir para tornar o nosso mundo um local mais saudável, mais pacífico e mais ligado à compaixão. Graças ao nosso corpo, tudo é possível.

Ainda assim, em várias ocasiões, nos esquecemos completamente de que temos um corpo. Nosso corpo continua presente, mas nossa mente está em outro lugar, longe do corpo. Nossa mente fica alienada do corpo. Ela está com os nossos projetos, preocupações e medos. Podemos trabalhar em um computador durante horas, esquecendo-nos completamente do nosso corpo, até que algo começa a doer. Mas como afirmar que estamos vivendo nossa vida de verdade se nos esquecemos do fato de que temos um corpo? Se a nossa mente não está com o nosso corpo, não podemos afirmar que estamos verdadeiramente presentes. Não podemos afirmar que estamos verdadeiramente vivos.

Respirando de maneira consciente, você simplesmente desfruta do seu inspirar e expirar. Você traz a mente de volta ao corpo, percebe que está vivo, ainda está vivo, o que é uma maravilha. Estar vivo é o maior dos milagres.

Grande parte de nós precisa aprender a como cuidar do nosso corpo físico. Precisamos aprender a relaxar e dormir. A comer e consumir de maneira que nosso corpo possa se manter saudável, leve e tranquilo. Se ouvirmos com cuidado, escutaremos nosso corpo nos avisando, o tempo todo, do que ele precisa ou não. Embora essa voz seja bem clara, tudo indica que perdemos nossa capacidade de escutá-la. Punimos demais nosso corpo, fazendo com que a tensão e a dor se acumulem. Estamos negligenciando-o há tempos, e ele pode estar se sentindo solitário. Nosso corpo tem sabedoria, e nós deveríamos abrir uma porta para escutá-lo.

Neste exato momento, você deveria fazer uma pausa para se reconectar com seu corpo. Torne-se consciente da sua respiração, reconheça e admita a presença do seu corpo por inteiro. É possível que você queira dizer a si mesmo: "Meu querido corpo, eu sei que você está aí". Voltar-se para seu corpo desta maneira permite que uma parte da tensão seja gentilmente aliviada. Esse é um ato de reconciliação. Um ato de amor.

Nosso corpo é uma obra-prima do cosmo, e carrega dentro de si as estrelas, a lua, o universo e a presença de todos os nossos antepassados. Quantos milhões de anos de evolução foram necessários para aperfeiçoar esses incríveis pares de olhos, pernas, pés e mãos? Inúmeras formas de vida apoiam a nossa existência neste momento. Reconectar-se com nosso corpo físico exige apenas alguns momentos de calma e respiração consciente. Todos temos tempo para isso, mas não o fazemos. É estranho que tenhamos medo do que acontecerá com nosso corpo após a morte, mas não desfrutemos verdadeiramente dele enquanto estamos vivos.

Enquanto seres humanos, precisamos aprender a viver nossa vida profundamente.

THICH NHAT HANH

Precisamos desfrutar de cada respiração profundamente, para que tenhamos paz, alegria e liberdade enquanto respiramos.

    Quando enxergamos claramente que nosso corpo físico é uma maravilha milagrosa da vida, um presente do cosmo, temos uma espécie de vislumbre. E uma vez que temos esse vislumbre, devemos sustentá-lo, senão a inquietude e a agitação tomarão conta e nos esqueceremos de tudo, deixaremos de valorizar o milagre de estarmos vivos. Portanto, devemos nutrir e oferecer apoio a esse vislumbre o tempo todo. É preciso concentração. Mas isso não é nada complicado. Enquanto caminhamos, trabalhamos e comemos, trazemos consciência para nosso corpo humano simplesmente desfrutando das sensações da posição e dos movimentos do nosso corpo e também da maravilha de estarmos vivos.
    Mas não deveríamos ser pegos pensando que o corpo é o nosso eu. Nosso corpo é feito inteiramente de elementos não-corpo, incluindo os quatro grandes elementos, terra, água, fogo e ar. Contemplando tais elementos, podemos verificar uma profunda conexão entre o interior e o exterior do nosso corpo. Não devemos estabelecer uma fronteira entre essas noções. Os quatro elementos que existem dentro de nós estão unidos aos quatro elementos que existem fora de nós. O movimento de entrada e saída é

constante. Neste exato momento, estamos recebendo e liberando água, calor e ar; e podemos enxergar inúmeras células e átomos do nosso corpo sendo nutridos e retornando à terra. Quando estamos doentes ou morrendo, pode ser muito útil contemplar esse fato. Mas não devemos esperar para fazer isso. Não retornamos à terra apenas quando nosso corpo se desintegra. Voltamos à terra e somos renovados por ela o tempo inteiro.

SEGUNDO CORPO: O CORPO DE BUDA

Ter um corpo humano significa que você também tem um corpo de Buda. A palavra "buda" significa alguém que está desperto e trabalha para despertar os demais. "Corpo de Buda" é uma maneira abreviada de descrever nossa capacidade de estarmos despertos e completamente presentes, sendo compreensivos, demonstrando compaixão e amor. Você não precisa conhecer nem utilizar a palavra "buda" para ter um corpo de Buda. Não precisa acreditar em nada, nem mesmo em Buda. O Buda Sidarta Gautama não era um deus. Era um ser humano com um corpo humano, que viveu de uma maneira que permitiu que seu corpo crescesse.

Qualquer ser humano pode ser tornar um Buda. Essa é uma ótima notícia. Todos carregamos sementes de plena consciência, amor, compreensão e compaixão, e para que essas sementes tenham uma chance de crescer vai depender do nosso ambiente e das nossas experiências. Não duvide do fato de que você tem um corpo de Buda. Em certos momentos de sua vida, você teve a capacidade de compreender, perdoar e amar. Essas são as sementes do seu corpo de Buda. Dê uma chance ao Buda que existe dentro de você.

Permitir que o Buda que existe dentro de você cresça não exige um esforço especial. Se você despertar para as maravilhas da natureza, já será um Buda. E se conseguir permanecer desperto durante o dia inteiro, será um Buda em tempo integral.

Ser um Buda não é tão complicado, basta manter-se desperto o dia inteiro. Todos somos capazes de beber nosso chá com atenção plena. Todos podemos respirar, caminhar, tomar banho e comer em estado de atenção plena. Todos podemos falar e ouvir com compaixão. Quanto mais regarmos as sementes de mente atenta, concentração, compreensão e amor que existem dentro de nós, mais forte será nosso corpo de Buda, e mais felizes e livres seremos. Seja qual for nosso meio de sobrevivência (não importa se você é um professor, artista, trabalhador social ou profissional do mundo dos negócios), podemos participar no trabalho de um Buda, ajudando a nutrir a iluminação, o despertar e proporcionando mudanças positivas no mundo. Quando conseguirmos estar verdadeiramente presentes, em contato com as maravilhas da vida que têm o poder de nos curar e nutrir, teremos forças suficientes para aliviar o sofrimento alheio. Quem não despertou não poderá ajudar outra pessoa a despertar. Um não-Buda não pode gerar um novo Buda.

Ser um Buda (despertar) também significa despertar para o sofrimento do mundo e descobrir maneiras de gerar alívio e transformação. Isso requer uma tremenda fonte de energia. E sua forte inspiração (sua mente amorosa) é essa imensa fonte de energia, que o despertará para as belezas nutritivas e curativas da natureza e para o sofrimento do mundo. Ela nos oferece uma boa dose de energia para ajudar. Essa é a carreira do Buda. E se você tem essa fonte de energia dentro de si, você tem uma mente de amor, você é um Buda em ação.

TERCEIRO CORPO: O CORPO DA PRÁTICA ESPIRITUAL

Nosso corpo da prática espiritual nasce do nosso corpo de Buda. A prática espiritual é a arte de saber como gerar felicidade e administrar o sofrimento, da mesma maneira que jardineiro sabe como utilizar a lama para fazer crescer flores de lótus. A prática espiritual é o que nos ajuda a superar os desafios e os momentos difíceis. É a arte de parar e observar intensamente, com o objetivo de alcançar vislumbres mais profundos. É algo muito concreto. Cultivamos nosso corpo de prática espiritual (que também pode ser chamado de "corpo Dharma") cultivando as sementes do despertar e da plena consciência em nossa vida cotidiana. Quanto mais sólido e espiritual se tornar o corpo, mais felizes seremos, além de mais capazes de ajudar as pessoas ao nosso redor a serem mais felizes e sofrerem menos. Todos necessitamos de uma dimensão espiritual em nossa vida.

Cabe a cada um de nós desenvolver um corpo da prática espiritual forte todos os dias. Quando você dá um novo passo em paz ou respira de maneira consciente, sua prática espiritual cresce. Sempre que abraça uma forte emoção com mente atenta, restaurando sua clareza e calma, ela também cresce. Portanto, em momentos difíceis, seu corpo da prática espiritual estará sempre presente em você. Ele estará com você no aeroporto, no supermercado ou no trabalho.

As pessoas podem roubar seu telefone,
computador ou dinheiro, mas nunca poderão
roubar sua prática espiritual.
Ela estará sempre presente para
protegê-lo e nutri-lo.

No tempo de Buda, havia um monge chamado Vaikali, que foi um dos acompanhantes de Buda. Mas Vaikali gostava demais de Buda e, quando este percebeu isso, não permitiu que Vaikali continuasse sendo seu acompanhante. Isso foi muito doloroso para o monge, que sofreu demais, chegando a tentar o suicídio. Vaikali estava preso ao corpo humano de Buda. Porém, com a prática e os ensinamentos, ele foi capaz de crescer e se transformar, aprofundando sua compreensão do amor verdadeiro.

Certo dia, quando Buda estava em Rajgir, capital de um antigo reino no nordeste da Índia, ficou sabendo que Vaikali estava doente, morrendo. Nesse momento, o próprio Buda estava perto da morte, mas desceu o Pico dos Abutres, onde estava, para visitar Vaikali na casa de um oleiro. Queria conversar com ele e saber se estava livre e preparado para libertar seu corpo sem medo. Então perguntou: "Querido amigo, você nutre algum arrependimento?".

"Não, querido mestre, não tenho arrependimentos", respondeu Vaikali, "exceto uma coisa: estar tão doente que não posso subir a montanha para contemplá-lo sentado no Pico Vulture". Sim, ainda existia algum apego.

"Vaikali, esqueça isso!", exclamou Buda. "Você já tem o meu corpo Dharma. Não precisa do meu corpo humano!". O que aprendemos com nossos mestres é muito mais importante do que sua presença física. Nossos mestres nos transmitiram o fruto de toda sua sabedoria e experiência. Buda estava tentando dizer a Vaikali que ele deveria procurar o mestre no interior do seu corpo, não o mestre que existe do lado de fora. Nossos mestres estão dentro de nós. O que mais poderíamos desejar?

Pode ser que meu corpo físico não dure muito, mas eu sei que meu corpo da prática espiritual, meu corpo Dharma, é forte o suficiente para continuar existindo por um bom tempo. Ele me ajudou em muita coisa. Se não fosse pelo meu corpo Dharma, se não fosse pela minha prática de mente atenta, eu nunca teria sido capaz de superar as grandes dificuldades, dores e desesperos que enfrentei na vida. Aguentei guerras e violência, meu país foi dividido, minha sociedade e comunidade budista foram diaceradas, encontramos muita discriminação, ódio e desespero. Mas, graças ao meu corpo Dharma, fui capaz de sobreviver, e não apenas isso, de superar todas essas dificuldades, crescendo e me transformando por meio delas.

Faço o possível para transmitir todas as experiências aos meus alunos. Meu corpo Dharma é o melhor presente que tenho a oferecer. É o corpo de todas as práticas espirituais e vislumbres que levaram à minha cura, transformação, felicidade e liberdade. Confio que todos os meus amigos e alunos receberão meu corpo da prática espiritual e o nutrirão ainda mais, para o bem das novas gerações. Devemos praticar da maneira correta, continuando a ajudar nosso corpo da prática espiritual a crescer e se tornar cada vez mais apropriado ao nosso tempo.

A ARTE DE VIVER

QUARTO CORPO: O CORPO COMUNITÁRIO

Em 1966, fui exilado do Vietnã, pois ousei vir ao Ocidente clamar por paz. Eu me senti como uma abelha removida da colmeia ou como uma célula arrancada do corpo de uma hora para outra. Fui afastado dos meus colegas e amigos do Vietnã, que faziam o possível para seguir em frente com nosso trabalho social e programas educacionais, mesmo sem a minha presença. Foi um tempo muito difícil e doloroso. Mas a prática de mente atenta ajudou na minha cura, e comecei a descobrir maneiras de construir uma comunidade fora do Vietnã.

Um ano depois, quando me encontrei com o dr. Martin Luther King Jr. pela última vez, falamos sobre os sonhos de construir uma comunidade. Ele a chamou de "comunidade amada". Uma comunidade amada é formada por pessoas que compartilham das mesmas aspirações e que procuram apoio mútuo para materializar tais aspirações. Se queremos crescer em nosso caminho espiritual, precisamos de uma comunidade de amigos espirituais que nos apoie e nutra. Em retribuição, apoiaremos e nutriremos essas pessoas como as células de um só corpo. Sozinhos, sem uma comunidade, não podemos fazer muita coisa. Precisamos de uma comunidade de amigos e colegas que pensem parecido conosco e que nos ajude a realizar nossos maiores sonhos.

THICH NHAT HANH

É possível transformar não apenas a nossa casa, mas também nosso trabalho, escola, empresa e hospital em uma comunidade amada, uma espécie de família, onde existe amor, compreensão e comunicação verdadeira.

Começamos a construí-la com alguns colegas que compartilham das mesmas aspirações. Quatro pessoas é suficiente. Cinco é bom. E mais do que cinco é excelente.

Os elementos principais para uma comunidade amada são amor, confiança, alegria, harmonia e fraternidade. Quando conseguimos gerar compreensão e compaixão na maneira de ser e de trabalhar juntos, todas as pessoas com as quais interagimos sentem essa energia e são capazes de se beneficiar dela. Podemos criar momentos para ouvir com atenção os vislumbres e dificuldades uns dos outros, ou momentos relaxantes com chá e biscoitos, nos quais estaremos completamente presentes uns para os outros. Nossa comunidade poderá se tornar uma fonte de apoio e um refúgio para muita gente. Vamos nutri-la durante nossa vida, e isso nos levará em direção ao futuro.

A ARTE DE VIVER

QUINTO CORPO: O CORPO FORA DO CORPO

Cada um de nós pode estar presente em muitos lugares do mundo. Podemos estar aqui e ao mesmo tempo na prisão. Podemos estar aqui e também em um país distante, onde as crianças sofrem de desnutrição. Não precisamos estar presentes com nosso corpo físico. Quando escrevo um livro, eu me transformo em centenas de eus que podem estar um pouco em cada lugar. Cada livro se transforma no meu corpo fora do corpo.

Posso entrar em uma casa na forma
das minhas caligrafias.
Posso entrar em uma prisão na forma de um DVD.

Certa vez, dando aulas em Madri, na Espanha, uma sul-americana me falou sobre uma clínica de saúde mental que programara um sino de mente atenta para tocar em seu sistema de autofalantes. Um sino de mente atenta é um sino que nos lembra que devemos parar e voltar a nós mesmos. Sempre que os médicos, enfermeiras e pacientes ouvissem o sino, deveriam parar o que estavam fazendo, voltar a si, relaxar e desfrutar de uma respiração consciente. A clínica também programou sinos de mente atenta para que soassem em seus computadores e telefones. Essa mulher me disse que a medida gerou um efeito positivo e tranquilizador em todos os profissionais de saúde e nos pacientes. Muitas vezes, eu sugeri ser possível criar momentos de calma e presença verdadeira em centros de saúde, mas nunca fui a essa clínica, que também não recebeu a visita de nenhum dos nossos mestres Dharma. Como é possível que nenhum de nós tenha ido até lá, mas ainda assim eles utilizem o sino da mesma maneira que fazemos em nossos centros de mente atenta? A nossa presença, práticas e ações não são locais. Eu não sou apenas essa carne e esses ossos que suportam vários quilos.

Em muitas prisões dos Estados Unidos e do Reino Unido existem presidiários que praticam meditação caminhando ou sentados. Eles aprenderam a respirar, caminhar e falar com gentileza e compaixão. Esses prisioneiros também são eu. Eles são o meu corpo, pois leram os meus livros. E praticando o que leram, eles me dão continuidade. Eles são o meu corpo fora do meu corpo.

Um dos prisioneiros tinha o livro *Stepping into freedom* [Caminhando para a liberdade], o manual que escrevi para treinar monges iniciantes, e, após lê-lo, resolveu se tornar um monge. Percebendo que seria impossível que alguém o ordenasse, ele raspou a própria cabeça e transmitiu a si mesmo os preceitos que um mestre costuma transmitir a um aluno. Depois, praticou da mesma forma que um noviço, mas no interior de sua cela. Quando ouço esse tipo de história, sei que estou em todos os lugares, e que meu corpo comunitário também está. Nosso corpo é não local. Esse prisioneiro que medita caminhando somos nós. Nosso corpo não está apenas aqui, nosso corpo está lá. Nós estamos presentes em todos os lugares ao mesmo tempo.

O mesmo acontece com um pai e um filho, ou uma mãe e uma filha. Quando um pai olha para o filho com os olhos da ausência de imagem, ele enxerga que o filho também é ele. Ele é o pai, mas também o filho. Quando um pai enxerga dessa maneira, ele vê seu corpo fora do corpo. Quando a criança olha para o pai e enxerga a si mesma nele, ela vê seu corpo fora do corpo. Quando olhamos para nossos filhos ou netos, vemos a nós mesmos, e começamos a enxergar nosso corpo fora do corpo.

SEXTO CORPO: O CORPO DE CONTINUAÇÃO

Ao longo da nossa vida, produzimos energia. Dizemos e pensamos coisas, e cada pensamento, palavra ou ação carrega nossa assinatura. O que produzimos em forma de pensamentos, falas e ações continuam a influenciar o mundo, e esse é o nosso corpo de continuação. Nossas ações nos levam ao futuro. Somos como estrelas, cuja energia de luz continua irradiando ao longo do cosmo por milhões de anos após terem sido extintas.

Quando produzimos um pensamento de ódio, raiva ou desespero, isso nos fere e também fere o mundo. Nenhum de nós quer ser continuado dessa maneira. Todos queremos produzir pensamentos de compaixão, compreensão e amor. Quando somos capazes de produzir pensamentos de compaixão e compreensão, isso é curativo para nós e para o mundo. Assim como uma nuvem ácida produz chuva ácida, uma energia de ódio, raiva, culpa ou descriminação produz um ambiente tóxico para nós mesmos e para os demais. Use seu tempo de maneira inteligente. A cada momento, podemos pensar, dizer ou fazer algo que inspire confiança, perdão e compaixão. Você pode fazer algo para proteger a si mesmo e o nosso mundo.

Devemos nos exercitar na arte de pensar da maneira correta para que possamos produzir pensamentos positivos e nutritivos a cada dia. Se você teve um pensamento negativo sobre alguém no passado, não é tarde demais para fazer alguma coisa. O momento presente contém o passado e o futuro. Se você conseguir produzir, hoje, um pensamento de compaixão, amor e perdão, esse pensamento positivo terá o poder de transformar o pensamento negativo de ontem, garantindo um futuro mais bonito amanhã.

Todos os dias podemos exercitar a produção de pensamentos de compaixão. Pensar já é uma ação.

A ARTE DE VIVER

Cada pensamento de compaixão carrega nossa assinatura. Essa é a nossa continuação.

Nossas palavras são energias que reverberam muito além da nossa imaginação. Devemos aprender a arte de nos comunicar para que nosso discurso possa gerar amor, reconciliação e entendimento. Assim como as palavras negativas ou indelicadas têm um sabor amargo, é maravilhosa a sensação de dizer algo repleto de compreensão e amor. Reconciliar-se com alguém usando um discurso amoroso é curativo para os dois lados. De imediato, nos sentimos mais leves e em paz. Faça um desafio a você mesmo: pratique a respiração consciente, a respiração profunda, e enxergue o sofrimento que existe em você e na outra pessoa. Depois, ligue para essa pessoa e produza um ou dois minutos de um discurso correto. Podemos estar esperando por isso há tempos. É possível que essa pessoa também esteja esperando por nós, mesmo sem saber.

Em vez de ligar, você também pode escrever um e-mail ou uma mensagem de texto repleta de compreensão e compaixão. E a cura já começa a acontecer antes mesmo do texto ser enviado. Nunca é tarde demais para se reconciliar com um ser amado, mesmo que essa pessoa já tenha falecido, pois você pode escrever uma carta a ela, expressando seus arrependimentos e amor. Isso será suficiente para proporcionar paz e cura para você. Suas palavras podem ser preciosas, atravessando o espaço e o tempo e criando compreensão e amor mútuos.

Também continuamos em nossas ações corporais. Sempre que fazemos algo com nosso corpo físico que protege, ajuda, salva ou inspira outra pessoa, esse ato também será nutritivo e curativo para nós mesmos e para o resto do mundo. Devemos nos perguntar: "No que estou investindo minha energia física?"; "O que deixarei para trás quando o meu corpo se desintegrar?"; "O que posso fazer hoje para realizar os meus sonhos?".

Voltemos à nuvem no céu. Ainda que a nuvem continue sendo uma nuvem, ela já pode começar a enxergar seu corpo de continuação na forma de chuva, neve ou granizo. Digamos que um terço da nuvem tenha se tornado chuva e os outros dois terços continuem no céu, observando com alegria a chuva caindo na terra. Ela está observando seu corpo de continuação. Ser nuvem é lindo. Mas ser a chuva caindo e se tornando um riacho também é. Lá no céu, a nuvem aprecia observar seu corpo de continuação como um riacho novo e límpido atravessando um bosque.

Quando fiz oitenta anos, uma jornalista me perguntou se eu planejava me retirar da função de mestre espiritual. Eu sorri e expliquei que o ato de ensinar não tem a ver apenas com falar, mas com a forma como vivemos nossa vida. Nossa vida é o ensinamento. Nossa vida é a mensagem. Expliquei também que enquanto eu continuar a praticar a meditação sentado, caminhando, comendo e interagindo com a minha comunidade e as pessoas ao meu redor, continuarei ensinando. E disse também que já comecei a encorajar meus estudantes mais antigos a me substituir, deixando que eles ofereçam suas conversas Dharma. Muitos deles são capazes de oferecer maravilhosas conversas Dharma, e algumas são melhores do que as minhas! Quando eles ensinam, eu me vejo sendo continuado por eles.

Quando você olha para o seu filho, filha ou netos, pode enxergar que eles são a sua continuação. Quando um professor olha sua sala de aula, pode enxergar os alunos como sua continuação. Se esse professor é feliz, se tem liberdade, compaixão e compreensão, seus alunos também serão felizes e se sentirão compreendidos. É possível, para cada um de nós, enxergarmos nossa continuação neste exato momento. Isso é algo que devemos nos lembrar todos os dias. Quando olho para meus amigos, alunos e para os mais de mil homens e mulheres que ordenei e que hoje praticam mente atenta e organizam retiros ao redor do mundo, enxergo meu corpo de continuação.

Mesmo sendo muito jovens, temos um corpo de continuação. Você consegue enxergá-lo?

Você consegue ver o quanto é continuado nos seus pais, irmãos e irmãs, professores e amigos? Consegue enxergar o corpo de continuação dos seus pais e entes queridos? Não precisamos envelhecer nem morrer para enxergarmos nosso corpo de continuação. Não precisamos esperar pela completa desintegração do nosso corpo para começarmos a ver sua continuação, assim como uma nuvem não precisa transformar-se inteiramente em chuva para enxergar seu corpo de continuação. Você consegue enxergar sua chuva, seu rio, seu oceano?

Cada um de nós deveria treinar para ver nosso corpo de continuação agora. Se conseguirmos enxergá-lo enquanto ainda estamos vivos, saberemos como cultivá-lo a fim de garantir uma linda continuação no futuro. Essa é a verdadeira arte de viver. Depois, quando chegar o momento da dissolução do nosso corpo físico, seremos capazes de libertá-lo sem dificuldades.

Às vezes eu comparo meu corpo à água fervendo e se tornando vapor. Quando meu corpo se desintegrar, você poderá dizer: "Thich Nhat Hanh morreu". Mas isso não será verdade, pois eu nunca morrerei.

Minha natureza é a natureza da nuvem, a natureza do não nascimento ou da não morte. Assim como é impossível que uma nuvem morra, é impossível que eu morra. Eu gosto de contemplar meu corpo de continuação, assim como a nuvem gosta de contemplar a chuva caindo e se transformando em rio. Olhando cuidadosamente para si mesmo, você verá o quanto, de certa forma, também é uma continuação minha. Se você inspirar e expirar e encontrar paz, felicidade e satisfação, saberá que estou sempre com você, estando o meu corpo físico vivo ou não. Eu sou continuado por meus vários amigos, alunos e discípulos monásticos. Sou continuado por inúmeras pessoas ao redor do mundo que nunca conheci, mas que leram meus livros, ouviram minhas palestras ou praticaram mente atenta em uma comunidade local ou em um de nossos centros de prática. Olhando com os olhos da ausência de imagem, você poderá me enxergar bem além deste corpo.

Portanto, uma resposta breve à pergunta "O que acontece quando eu morro?" é que você não morre. E essa é a verdade, pois quando você entende a natureza da pessoa que está morrendo, entende a natureza do ato de morrer e percebe que a morte é algo que não existe. Não existe um eu que morre. Tudo o que existe é transformação.

SÉTIMO CORPO: O CORPO CÓSMICO

Nosso corpo cósmico envolve o mundo fenomênico por completo. A maravilha que é nosso corpo humano se desintegrará um dia, mas nós somos muito mais do que este corpo. Somos também o cosmo, que é a base do nosso corpo. Sem o cosmo, o corpo não estaria presente. Com o vislumbre do interser, podemos enxergar que existem nuvens dentro de nós. Existem montanhas e rios, campos e árvores. Existe luz do sol. Nós somos filhos da luz. Somos filhos e filhas do sol e das estrelas. Neste exato momento, o cosmo está reunido para oferecer apoio ao nosso corpo. Nosso pequeno corpo humano contém todo o reino de todos os fenômenos.

Podemos visualizar nosso corpo humano como uma onda, e nosso corpo cósmico como todas as outras ondas do oceano. Podemos nos enxergar como se fôssemos todas as outras ondas, e todas essas ondas estão dentro de nós. Não precisamos procurar nosso corpo cósmico fora de nós. Ele está bem aqui, dentro de nós, neste exato momento. Nós somos feitos de poeira cósmica. Somos filhos da terra, feitos dos mesmos elementos e minerais. Carregamos dentro de nós montanhas, rios, estrelas e buracos negros. Em todos os momentos de nossa vida, o cosmo nos invade, renovando-nos, e nós retornamos ao cosmo. Estamos respirando a atmosfera, comendo os alimentos da terra, criando novas ideias e experimentando novas sensações. E estamos emitindo energia de volta ao cosmo com nossos pensamentos, palavras e ações, com nossa respiração, com o calor do nosso corpo, ao liberar tudo o que consumimos e digerimos. Neste exato momento, muitas partes de nós estão retornando à terra. Não retornamos à terra e ao cosmo apenas quando nosso corpo se desintegra.

A ARTE DE VIVER

*Já estamos dentro da terra
e a terra está dentro de nós.*

Nosso corpo humano é uma obra de arte do cosmo, e quando valorizamos, respeitamos e cuidamos do nosso corpo, estamos valorizando, respeitando e cuidando do nosso corpo cósmico. Quando vivemos cuidando bem do nosso corpo, estamos cuidando dos nossos antepassados e do nosso corpo cósmico.

OITAVO CORPO: O CORPO MÁXIMO

Nosso oitavo corpo é o nível mais profundo do cósmico: a natureza da própria realidade, para além de todas as percepções, formas, sinais e ideias. Esse é o nosso corpo da "verdadeira natureza do cosmo". Quando entramos em contato com tudo o que existe (seja uma onda, a luz do sol, as florestas, o ar, a água ou as estrelas), percebemos o mundo fenomenal das aparências e sinais. Nesse nível de verdade relativa, tudo está em mutação. Tudo está sujeito ao nascimento e à morte, ao ser e ao não ser. Porém, quando alcançamos o mundo fenomênico de maneira profunda, vamos além das aparências e sinais e atingimos a verdade máxima, a verdadeira natureza do cosmo, que não pode ser descrita usando noções, palavras ou sinais como "nascimento", "morte", "ir" e "vir".

Somos uma onda surgindo na superfície do oceano. O corpo de uma onda não dura muito tempo, apenas dez ou vinte segundos. Ela está sujeita a um início e a um fim, a uma subida e uma descida. A onda pode pensar: "Estou aqui agora, mas não estarei daqui a pouco". E pode sentir medo e até raiva. Mas ela também tem seu corpo oceano. Ela veio do oceano, e a ele voltará. Existe o seu corpo onda e também o seu corpo oceano. Ela não é apenas uma onda, mas também o oceano. A onda não precisa observar um corpo oceano separado, pois ela é, neste exato momento, seu corpo onda e seu corpo oceano. Quanto antes a onda volta a se conectar com sua verdadeira natureza, que é a água, mais rápido seus medos e ansiedades desaparecem.

O nível mais profundo da nossa consciência, que chamamos "consciência armazenadora", tem a capacidade de tocar diretamente o âmago, o reino da realidade em si. Nossa mente consciente pode não ser capaz de fazer isso agora, mas nossa consciência armazenadora está tocando a verdadeira natureza do cosmo, e o faz neste exato momento.

Quando você entra em contato com seu corpo cósmico, é como se você deixasse de ser um bloco de gelo flutuando no oceano e se tornasse água. Com nossa respiração consciente e profunda percepção do nosso corpo, somos capazes de abandonar a zona de cogitação, discriminação e análise, e entrar no reino do interser.

A ARTE DE VIVER

TUDO INTER-É

Existe uma conexão profunda entre nossos diferentes corpos. Nosso corpo físico, nosso corpo de Buda, nosso corpo da prática espiritual, nosso corpo fora do corpo, nosso corpo de continuação e nosso corpo cósmico entre-são. Nosso corpo humano contém nosso corpo cósmico e a verdadeira natureza do cosmo, a própria realidade, além de qualquer palavra, rótulo ou percepção. Nosso corpo cósmico é o universo, a criação, a obra de arte de Deus. Olhando profundamente para o cosmo, enxergamos sua verdadeira natureza. E podemos dizer que a verdadeira natureza do cosmo é Deus. Olhando profundamente para a criação, podemos enxergar o criador.

Em um primeiro momento, as coisas parecem existir independentes das outras. O sol não é a luz. Esta galáxia não é outra galáxia. Você está fora de mim. O pai está fora do filho. Porém, olhando com atenção, enxergamos que tudo se entrelaça. Não podemos separar a chuva da flor nem o oxigênio da árvore. Não podemos separar o pai do filho nem o filho do pai. Não podemos separar nada de coisa nenhuma. Nós somos as montanhas e os rios, o sol e as estrelas. Tudo está interligado. Isso é o que o físico David Bohm chamou de "ordem implicada". Em um primeiro momento, vemos apenas "a ordem explicada", mas ao percebermos que as coisas não existem de forma independente das outras, tocamos o nível mais profundo do cósmico. Percebemos que não é possível tirar a água da onda e que não podemos tirar a onda da água. Assim como a onda é a própria água, nós *somos* o âmago de tudo.

Muita gente ainda acredita que Deus pode existir de forma separada do cosmo, da sua criação. Mas não podemos retirar Deus de nós mesmos; não podemos remover o âmago de tudo de nós. O nirvana está dentro de nós.

Se queremos tocar o âmago,
devemos observar nosso interior, não o exterior.

Ao contemplarmos nosso interior, podemos alcançar a nossa própria realidade. Se sua atenção e sua concentração são profundas enquanto você pratica meditação caminhando em meio à natureza, ou enquanto observa um lindo pôr do sol ou o seu próprio corpo humano, poderá tocar a verdadeira natureza do cosmo.

Quando praticamos mente atenta, podemos alcançar vários tipos de alívio. Mas o maior alívio e a maior paz surgem quando somos capazes de tocar nossa natureza de não nascimento e de não morte. Isso é factível, possível, e nos proporciona muita liberdade. Se estamos em contato com nosso corpo cósmico, nosso corpo de Deus, nosso corpo nirvana, perdemos o medo de morrer. Essa é a nata dos ensinamentos e da prática de Buda. Algumas pessoas sabem morrer em paz, felizes, pois alcançaram tal entendimento.

EXERCÍCIO: CONTEMPLANDO A VIDA ILIMITADA

É possível viver sua vida cotidiana estando atento a todos os seus corpos e se sentindo conectado a eles todos os dias. Você será capaz de enxergar sua continuação ao longo do tempo e do espaço e perceber que sua vida não tem limites. Seu corpo físico, que um dia se desintegrará, é apenas uma pequena parte do que você é.

Reserve um tempo para ler o texto a seguir. Ele é um convite para que você enxergue que a sua vida não tem fronteiras nem limites. Leia devagar, permitindo que cada linha caia como uma chuva fina no solo da sua consciência.

> *Eu percebo que este corpo (constituído de quatro elementos) não é o que sou realmente, e que não sou limitado a ele. Eu sou o rio da vida, sou meus antepassados sanguíneos e ancestrais espirituais, e isto flui em uma constante há milhares de anos, e continuará fluindo por mais milhares. Eu formo um todo com meus antepassados e descendentes. Sou a vida se manifestando de incontáveis formas.*

Eu constituo um todo com todas as pessoas e todas as espécies, estejam elas em paz, alegres, sofrendo ou amedrontadas. Neste exato momento, estou presente em todos os pontos deste mundo. Estive presente no passado e estarei presente no futuro. A desintegração deste corpo não me afeta, da mesma maneira que a queda das pétalas das flores da ameixeira não determinam o fim da árvore. Eu me vejo como uma onda na superfície do oceano. E me vejo em todas as outras ondas, e vejo todas as outras ondas em mim. A manifestação ou o desaparecimento da onda não diminui a presença do oceano. Meu corpo Dharma e minha vida espiritual não são sujeitos ao nascimento e à morte. Sou capaz de enxergar minha presença antes deste corpo ter se manifestado e após ele ter se desintegrado. Sou capaz de enxergar minha presença fora deste corpo, inclusive neste exato momento. Minha esperança de vida não é de oitenta ou noventa anos. Minha esperança de vida, como a de uma folha ou a de Buda, é imensurável. Sou capaz de ir além da ideia de que sou um corpo separado de todas as outras manifestações da vida, seja no tempo ou no espaço.

MEDITAÇÃO GUIADA: RESPIRANDO COM O COSMO

Ao inspirar, eu vejo o elemento terra em mim, o elemento ar em mim. Vejo nuvens, neve, chuva e rios em mim. Vejo a atmosfera, o vento e as florestas em mim. Vejo as montanhas e os oceanos em mim. Vejo a terra em mim.

Ao expirar, sorrio para a terra em mim. Formo um todo com a Mãe Terra, o mais lindo planeta do nosso Sistema Solar.

Mãe Terra em mim.
Sorrindo para o mais lindo planeta
do nosso Sistema Solar.

Ao inspirar, enxergo o elemento luz em mim, eu sou feito de luz; eu sou feito do Sol. Vejo nossa estrela como uma infinita fonte de vida, nutrindo-nos a cada momento. O Buda Sidarta Gautama era filho do Pai Sol; e eu também sou.

Ao expirar, sorrio para o Sol em mim. Eu sou o Sol, uma estrela, uma das mais lindas estrelas de toda a nossa galáxia.

Eu sou filho do Sol.
Eu sou uma estrela.

Ao inspirar, enxergo todos os meus antepassados em mim: meus antepassados minerais e vegetais, meus antepassados mamíferos e humanos. Meus antepassados estão sempre presentes, vivos em cada célula do meu corpo, e eu tenho um papel na imortalidade deles.

Ao expirar, sorrio para a nuvem na minha xícara de chá. Uma nuvem que nunca morre. Uma nuvem que pode se tornar neve ou chuva, mas nunca nada. E também tenho um papel na imortalidade da nuvem.

Eu sou meus antepassados.
Tenho um papel na imortalidade dos meus antepassados.

Ao inspirar, enxergo as estrelas e as galáxias em mim. Sou a consciência se manifestando enquanto cosmo. Eu sou feito de estrelas e galáxias.

Ao expirar, sorrio para todas as estrelas em mim. Eu tenho um papel na imortalidade das nuvens, da chuva, das estrelas e do cosmo.

Sorrindo para as estelas e galáxias em mim.
Tenho um papel na imortalidade
das estrelas e do cosmo.

Ao inspirar, enxergo que nada é criado, nada é destruído; tudo está em transformação. Eu enxergo a natureza do não nascimento e da não morte da matéria e da energia. Vejo que o nascimento, a morte, o ser e o não ser são apenas ideias.

Ao expirar, sorrio para minha verdadeira natureza de não nascimento e não morte. Eu me liberto do ser e do não ser. Não existe morte, não existe medo. Eu alcanço o nirvana, minha verdadeira natureza de não nascer e de não morrer.

Nada é criado. Nada é destruído.
Eu me liberto do ser, eu me liberto do não ser.

CAPÍTULO 3

AUSÊNCIA DE OBJETIVO
NAS MÃOS DE DEUS

Você já é o que pretende se tornar.
Você é uma maravilha. Você é um milagre.

Certo dia, Buda recebeu a visita de uma divindade ruidosa montada a cavalo chamada Rohitassa, que o enxergava como uma espécie de herói.

"Querido mestre", ela perguntou, "o senhor acha que é possível escapar deste mundo de nascimento e morte, de sofrimento e discriminação, através da velocidade?". Tudo indica que os humanos sempre tiveram o desejo de viajar rapidamente, de chegar bem rápido aos lugares. Ainda hoje, sonhamos em construir máquinas capazes de viajar na velocidade da luz, na esperança de visitar outras dimensões. Na época de Buda, não havia aviões nem naves espaciais. O meio mais rápido de viajar era no lombo de um cavalo.

E Buda respondeu gentilmente: "Não, Rohitassa, não podemos escapar deste mundo viajando, nem mesmo à grande velocidade".

"O senhor está certo!", disse Rohitassa. "Em uma vida anterior, eu viajei extremamente rápido, mais rápido que a velocidade da luz. Não comi, não dormi, não bebi. Não fiz nada além de viajar à grande velocidade, e nem assim consegui sair deste mundo. No final, morri antes de conseguir fazer isso. Portanto, eu concordo, é impossível!".

"Mas", continuou Buda, "*existe* uma maneira de sair, minha amiga. Basta olhar para dentro. Olhando profundamente para o seu próprio corpo, que tem cerca de um metro e oitenta de altura, você poderá descobrir a imensidão do cosmo. Poderá entrar em contato com sua verdadeira natureza, além do nascimento e da morte, do sofrimento e da discriminação. Você não precisa ir a lugar algum."

Muitos de nós passamos a vida correndo. Temos a sensação de que precisamos correr... em direção ao futuro, para longe do passado, afastando-nos de onde estamos. Porém, na realidade, não precisamos ir a lugar nenhum. Devemos apenas nos sentar e olhar profundamente a fim de descobrir que o cosmo inteiro está aqui, dentro de nós.

Nosso corpo é uma maravilha que contém todos os tipos de informação. Entender a nós mesmos é entender o cosmo inteiro.

A saída é para dentro.

Enquanto acreditarmos que somos uma entidade separada do mundo que nos rodeia, pensaremos ser possível escaparmos deste mundo. Porém, quando vemos que *somos* o mundo, que somos feitos integralmente de elementos não-nós, percebemos que não precisamos correr atrás de nada que exista fora de nós mesmos. O mundo não pode sair do mundo. Nós já somos tudo o que estamos procurando.

NAS MÃOS DE DEUS

Assim como uma onda não precisa buscar água, também não precisamos buscar o Supremo. A onda *é* a água. Você já *é* o que pretende se tornar. Você é feito do sol, da lua e das estrelas. Você tem tudo dentro de si.

No cristianismo, existe a expressão "nas mãos de Deus". Quando cessamos todas as nossas buscas e batalhas, é como se estivéssemos nas mãos de Deus. Nós nos estabelecemos completamente no momento presente, passamos a habitar na dimensão Suprema e descansamos em nosso corpo cósmico. Passar a habitar no Supremo não exige fé ou crença. Uma onda não precisa *acreditar* que é água. A onda é água no aqui e agora.

Para mim, Deus não está fora de nós nem fora da realidade. Deus está *dentro*. Deus não é uma entidade externa que devemos alcançar, algo em que devemos acreditar ou não. Deus, o nirvana, o supremo, é inerente a todos nós. O Reino de Deus está disponível a todo momento. A questão é quando *nós* estamos disponíveis para ele. Com a mente atenta, a concentração e o vislumbre, tocar nosso corpo cósmico ou o Reino de Deus se torna possível a cada respiração ou a cada passo.

AUSÊNCIA DE OBJETIVO: A TERCEIRA PORTA DA LIBERTAÇÃO

A concentração na ausência de objetivo significa chegar ao momento presente para descobrir que ele é o único momento em que podemos encontrar tudo o que estamos buscando, e que você *já é* tudo o que gostaria de se tornar.

Ausência de objetivo não significa não fazer nada. Significa não colocar algo à sua frente como um objetivo a ser alcançado. Quando nos livramos dos objetos de nossa cobiça ou desejo, descobrimos que a felicidade e a liberdade estão disponíveis para nós bem aqui, no momento presente.

Temos o hábito de correr atrás das coisas, e tal hábito foi transmitido para nós por nossos pais e antepassados. Não nos sentimos plenos no aqui e agora, por isso corremos atrás de tudo o que acreditamos que possa nos tornar mais felizes. Sacrificamos nossa vida em busca de objetos de desejo ou tentando alcançar o êxito em nossos estudos ou trabalho. Lutamos para realizar nossos sonhos, mas nos perdemos ao longo do caminho. Podemos até perder a liberdade e a felicidade em nossos esforços para estarmos atentos, sermos saudáveis, aliviarmos o sofrimento do mundo ou nos tornarmos mais iluminados. E, com isso, ignoramos as maravilhas do momento atual, pensando que o céu, o supremo, são para mais tarde, não para agora.

Praticar a meditação significa termos tempo para observar profundamente e enxergar tais coisas. Se você se sente inquieto no aqui e agora, ou não se sente bem, pergunte a si mesmo: "O que estou querendo? O que estou buscando? O que estou esperando?".

A ARTE DE PARAR

Estamos correndo há milhares de anos, por isso é tão difícil parar e encontrar a essência da vida no momento atual. Aprender a parar pode parecer fácil, mas exige treinamento.

Certa manhã, ao contemplar uma montanha ao amanhecer, enxerguei claramente que não apenas *eu* olhava para a montanha, mas que todos os meus antepassados olhavam para ela através de mim. Quando a luz da manhã irrompeu no pico da montanha, admiramos essa beleza juntos. Não havia lugar para onde ir nem nada a ser feito. Estávamos livres. Só precisávamos nos sentar e desfrutar do nascer do sol. Nossos antepassados talvez nunca tenham tido a chance de se sentar em calmaria, em paz, e desfrutar do nascer do sol dessa maneira. Quando conseguimos deter a correria, eles o fazem ao mesmo tempo. Com a energia da mente atenta e do despertar, podemos parar em nome de todos os nossos antepassados. Não é a parada de um ser individualizado, mas a parada de toda uma linhagem.

*Quando há parada,
há felicidade. Há paz.*

Quando paramos dessa forma, parece que nada está acontecendo, mas na verdade tudo está acontecendo. Você está profundamente ligado ao momento presente, em contato com seu corpo cósmico. Em contato com a eternidade. Cessa a agitação, cessa a busca.

Em Plum Village, e em todos os outros centros de prática de mente atenta nos Estados Unidos, Europa e Ásia, paramos sempre que ouvimos o som de um sino. Seja o sino do templo principal, um relógio soando no refeitório, os sinos das igrejas dos vilarejos próximos ou mesmo o som de um telefone tocando. Assim que ouvimos o som de um sino, aproveitamos o momento para parar, relaxar e respirar. Regressamos a nós mesmos e ao momento presente. Se estamos falando, paramos de falar. Se estamos caminhando, paramos de caminhar. Se estamos carregando algo, colocamos no chão. Retornamos à nossa respiração e ao nosso corpo no aqui e agora. Relaxamos e simplesmente desfrutamos ouvindo o som do sino.

Ao ouvirmos o sino, entramos em um relacionamento profundo com o momento presente, que compreende um tempo e espaço ilimitados. O passado e o futuro estão aqui, neste momento. Deus, nirvana e o corpo cósmico estão disponíveis. O momento se torna eterno, satisfatório.

Onde estão o seu pai, a sua mãe, o seu avô ou a sua avó? Bem aqui, no momento presente. Onde estão nossos filhos, netos e as gerações futuras? Onde estão Jesus Cristo e Buda? Onde estão o amor e a compaixão? Eles estão aqui. Não são realidades independentes da nossa consciência, do nosso ser, da nossa vida. Não são objetos de esperança ou perseguição que vivem fora de nós. E onde está o céu, o Reino de Deus? Também está bem aqui. Tudo o que buscamos, tudo o que queremos viver, deve acontecer aqui, no momento presente. O futuro é apenas uma ideia, uma noção abstrata.

Só o momento presente é real.

Se continuamos atados ao sonho de algo no futuro, perdemos o presente. Se perdemos o presente, perdemos tudo. Perdemos a liberdade, a paz, a alegria e a oportunidade de tocar o Reino de Deus, o nirvana.

O Evangelho de Mateus conta a história de um lavrador que encontrou um tesouro escondido em um campo e, ao voltar para casa, vendeu tudo o que tinha para comprar aquela terra. Esse tesouro é o Reino de Deus, que tem como base única o momento presente. Basta um momento de iluminação para percebermos que o que queremos já está aqui, em nós e ao nosso redor. Assim como o lavrador, quando descobrimos isso, é fácil abrirmos mão de tudo para alcançarmos a paz, a felicidade e a liberdade no momento presente. E vale a pena. Perder o hoje é perder nossa única chance de encontrar a vida.

O CIPRESTE NO JARDIM

Existe uma história Zen sobre um estudante que sentia não ter recebido a essência mais profunda dos ensinamentos do seu mestre, e, por isso, resolveu questioná-lo. O mestre perguntou: "No caminho até aqui, você viu o cipreste no jardim?" É possível que o estudante ainda não estivesse muito consciente. O mestre estava dizendo que se no caminho para encontrar nosso mestre passamos por um cipreste, ou por uma linda cerejeira em flor, e não os enxergamos, então quando chegamos na frente do mestre talvez também não o enxerguemos. Não devemos perder nenhuma oportunidade de realmente enxergar o nosso cipreste. Todos os dias, nos deparamos com várias maravilhas da vida, e ainda assim não as vemos de verdade. Que cipreste existe no seu caminho diário para o trabalho? Se você não consegue enxergar a árvore, como poderá enxergar seus entes queridos? Como poderá enxergar Deus?

Cada árvore e cada flor pertence ao Reino de Deus. Se a dália que floresce não pertence ao Reino de Deus, pertence ao quê? Se queremos ter um relacionamento com Deus, se queremos compreender Deus, devemos estar atentos aos ciprestes em nosso caminho.

Mente atenta nos ajuda a chegar ao momento presente para enxergar e ouvir as maravilhas da vida... para ver e ouvir Deus.

Se existe uma crise espiritual no século XXI, é porque não colocamos Deus em seu devido lugar, ou seja, dentro de nós mesmos e ao nosso redor. Você poderia tirar Deus do cosmo? Poderia tirar o cosmo de Deus?

Nós somos maravilhosos, e estamos cercados de coisas maravilhosas. Temos Deus, temos um corpo cósmico, temos tudo aqui, neste exato momento. Com tal vislumbre, com esse tipo de iluminação, já nos sentimos felizes, contentes e plenos.

CÉU NA TERRA

O maior sonho de alguns de nós quando morrermos é alcançar o Paraíso ou, para os budistas, chegar à "Terra Pura". Julgamos que esta vida, de certa forma, é insuficiente ou insatisfatória, e acreditamos que só chegaremos ao nível mais profundo e recompensador após a nossa morte. Sentimos a necessidade de repelir este corpo para atingirmos o supremo. Temos a sensação de que encontraremos um lugar melhor, mais feliz, mais perfeito em algum ponto no futuro.

Porém, se esperarmos a morte para alcançarmos a felicidade, poderá ser tarde demais. Podemos viver todas as maravilhas da vida, e o próprio Supremo, com nosso corpo humano, aqui e agora. Nosso corpo também é uma maravilha. É outro tipo de flor no jardim da humanidade, e você deveria tratá-lo com o maior respeito, pois ele pertence ao Reino de Deus. Você pode tocar o Reino de Deus com o seu corpo. Uma inspiração consciente pode ser o necessário para percebermos o céu azul brilhante, o frescor da brisa, o som do vento soprando entre os pinheiros ou a música de um córrego. Não precisamos morrer para subir aos céus. Já estamos no Reino de Deus.

SEJA LINDO, SEJA VOCÊ

Mesmo sendo capazes de enxergar as belezas ao nosso redor, podemos duvidar de que também somos maravilhosos. Nós nos sentimos inadequados. Queremos algo mais, desejamos outra coisa. Somos como uma panela vagando em busca de uma tampa. Não temos confiança em nós mesmos e em nossa capacidade de estarmos em paz e despertos, de sermos compassivos. Nos sentimos pressionados por nossas dificuldades. Por isso continuamos a viver nossa vida cotidiana sentindo falta de algo. Devemos nos perguntar: "Do que sinto falta? O que estou procurando?".

Exercitar a ausência de objetivo é identificar o que você está buscando, esperando ou correndo atrás, e deixar pra lá. Livrando-se dos objetos de busca que te afastam do aqui e agora, você descobrirá que tudo o que quer já está presente no aqui e agora. Você não precisa "ser alguém" ou fazer alguma coisa para conseguir ser feliz e livre. Se perguntasse a uma flor desabrochando nas montanhas ou a uma árvore majestosamente de pé no meio de uma floresta: "O que você está buscando", o que elas responderiam? Com um pouco de mente atenta e concentração, você ouvirá a resposta em seu coração:

> *Cada um de nós deve ser seu verdadeiro eu:*
> *original, sólido, à vontade, amoroso e piedoso.*
> *Quando somos nosso verdadeiro eu,*
> *não apenas nos beneficiamos, mas todos ao nosso*
> *redor se beneficiam com a nossa presença.*

VOCÊ É SUFICIENTE

Lin-Chi, o famoso mestre Zen chinês do século XIX, ensinou que "os humanos e os budas não são dois" e declarou: "Não existe diferença entre você e Buda!" Ele estava dizendo que você já é suficiente. Não precisamos de nada especial para sermos um buda e cultivarmos nosso corpo de Buda. Devemos apenas viver uma vida simples e verdadeira. Nossa personalidade real, nosso eu real, não precisa de trabalho ou posição especiais. Nosso eu verdadeiro não precisa de dinheiro, fama nem status. Nosso eu verdadeiro não precisa fazer nada. Tudo o que precisamos é viver nossa vida profundamente no momento presente.

Quando comemos, apenas comemos. Quando lavamos a louça, apenas lavamos a louça. Quando usamos o banheiro, apenas desfrutamos do ato de usar o banheiro. Fazer tudo isso é uma maravilha, e a arte de viver é fazer tudo isso em liberdade.

A liberdade é uma prática e um hábito. Devemos treinar para caminhar como pessoas livres, para nos sentarmos como pessoas livres e comermos como pessoas livres. Precisamos nos treinar a viver.

Buda também comia, caminhava e ia ao banheiro. Mas ele fazia tudo isso em liberdade, e não correndo de uma coisa à outra. Nós também podemos viver dessa maneira? Podemos empregar nosso tempo para vivermos sendo verdadeiros conosco? Se continuamos buscando algo mais, alguma outra coisa, continuamos não sendo ausentes de objetivo. Ainda não somos livres, ainda não somos nosso verdadeiro eu. Nosso verdadeiro eu está presente dentro de nós, e assim que o enxergarmos nos tornaremos pessoas livres. Já fomos livres de um tempo sem começo. Tudo o que precisamos fazer é reconhecer isso.

Certa vez, eu tive a oportunidade de visitar as grutas de Ajanta, no estado de Maharashtra, na Índia. Elas foram inteiramente escavadas na rocha das montanhas. São dormitórios com compartimentos onde os monges guardam suas tigelas de oferendas e suas túnicas *sanghati*. Fazia muito calor no dia em que estive lá, então me deitei para desfrutar do frescor daquelas cavidades.

Nada foi trazido de fora para criar aquelas grutas. Os templos foram feitos com meras escavações na rocha. Quanto mais rocha removiam, maiores ficavam as grutas. Tocar nosso verdadeiro eu, nossa verdadeira natureza, é isso. Tudo o que acreditamos ser necessário encontrar no mundo exterior já existe dentro de nós. A gentileza, a compreensão e a compaixão existem dentro de nós. Para revelar tudo isso, devemos apenas afastar certas pedras que obstruem nosso caminho. Não existe uma essência de santidade a ser buscada fora de nós. E não existe essência no ordinário que devamos destruir. Nós já somos o que queremos ser. Mesmo em nossos momentos mais duros, tudo o que é bom, verdadeiro e bonito continua existindo dentro de nós e ao nosso redor. Tudo o que devemos fazer é viver de forma a permitir que tais coisas sejam reveladas.

SER MENOS OCUPADO

O mestre Lin-Chi pediu aos seus alunos que fossem "menos ocupados". Isso significa não vivermos ocupados o tempo inteiro, nos livrarmos da ocupação. Sendo menos ocupados, podemos tocar o espírito da ausência de objetivo em nossa vida cotidiana, e não seremos induzidos por nossos desejos, planos e projetos. Não faremos nada para sermos elogiados ou ganhar status; não tentaremos representar um papel. Onde estivermos, seremos soberanos de nós mesmos. Deixaremos de viver deslumbrados com nosso ambiente; deixaremos de ser empurrados ou afogados pela multidão.

Seja lá o que estivermos fazendo, podemos fazê-lo à vontade e em liberdade.

Para o mestre Lin-Chi, a vida ideal não é se tornar um "arhat" ou "bodhisattva" iluminado que vive para servir a todos os seres, mas sim sermos pessoas menos ocupadas. Uma pessoa menos ocupada já percebeu os vislumbres da vacuidade, da ausência de imagem e da ausência de objetivo. Ela não vive presa à ideia do eu, não sente a necessidade de "sinais" de fama ou status e vive feliz e livre no momento presente.

Ser menos ocupado é viver diariamente em contato com a dimensão suprema. Nela, não há nada a ser feito; nós já somos o que queremos ser. Somos tranquilos, vivemos em paz. Não precisamos mais correr. Somos felizes e livres das preocupações e ansiedades. Essa é a forma de ser de que o mundo mais necessita. É muito prazeroso vagar na dimensão suprema, e todos nós deveríamos aprender a fazer isso.

"Mas", você pode perguntar, "se somos felizes no momento atual, sem nenhum lugar aonde ir nem nada para fazer, quem ajudará os seres humanos a se libertarem? Quem resgatará as pessoas que estejam se afogando no oceano do sofrimento? Sermos pessoas sem objetivo nos transforma em seres indiferentes ao sofrimento do mundo? Se nossa prioridade é sermos livres e felizes, isso não nos paralisa, não nos leva a evitar os desafios e as dificuldades de tentar ajudar os demais?".

Buda não estava procurando nem desejando nada, mesmo assim se manteve firme na decisão de ajudar a libertar todos os seres. Nos 45 anos de seu ministério, ele nunca parou de libertar os demais de seus sofrimentos, o que fez até os últimos momentos de sua vida. Sermos pessoas sem objetivo não significa deixarmos de lado a compaixão e não sermos generosos. Quando temos compaixão, somos generosos e compreensivos, temos uma motivação natural para agir e ajudar.

O essencial é gerar uma qualidade de ser distinta da situação de sofrimento que existe no mundo. Se sofremos como as outras pessoas, como podemos ajudá-los a sofrer menos? Se os médicos têm as mesmas doenças dos pacientes, como poderão ajudá-los na cura? Nossa energia de paz, alegria, compaixão e liberdade é essencial. Devemos nutrir e proteger nossa maneira de ser. Tudo o que fazemos tem uma dimensão espiritual.

THICH NHAT HANH

Quando o nosso trabalho tem uma dimensão espiritual, somos capazes de nos sustentarmos, cuidar de nós mesmos e evitar o colapso.

Na década de 1960, escrevi o livro *The miracle of mindfulness* (O milagre da mente atenta), um manual para milhares de jovens trabalhadores sociais que estavam sendo treinados em nossa Escola de Jovens para Serviço Social no Vietnã. A intenção era ajudá-los a praticar para que pudessem se manter focados, saudáveis e apaixonados, pois assim poderiam nutrir suas aspirações e teriam energia e paz suficientes para seguir em frente com seus trabalhos e serviços.

É possível trabalhar, servir e engajar-se como uma pessoa livre sem nos perdermos em nossos trabalhos. Não perdemos o momento presente por estarmos em busca de algo ou perseguindo um objetivo futuro; vivemos profundamente cada momento do nosso trabalho. Esse é o significado da ausência de objetivo. A paz, a liberdade, a compaixão e a bondade amorosa que irradiamos ajudam as pessoas ao nosso redor a sofrerem menos. Não somos passivos. Ser passivo significa ser empurrado, atraído ou persuadido pelas circunstâncias ou pelas pessoas ao nosso redor. Mas a nossa liberdade e soberania significam que não nos tornamos vítimas das circunstâncias. Com compaixão e discernimento, nos perguntamos: "Nesta situação, o que posso fazer para evitar que as coisas piorem? Como posso ajudar para que a situação melhore?". Quando sabemos estar no melhor caminho para aliviar sofrimentos, podemos estar em paz a cada passo do caminho.

SER E FAZER

Meu nome, Nhat Hanh, significa "uma ação". Passei um bom tempo tentando descobrir que tipo de ação era essa. E finalmente descobri que minha ação é *ser* paz e tentar oferecer paz aos demais.

Tendemos a pensar no que temos de fazer, não no que temos de ser. Pensamos que, quando não estamos fazendo nada, perdemos nosso tempo. Mas isso não é verdade. Nosso tempo existe, antes de mais nada, para que possamos *ser*. Mas sermos o quê? Sermos vivos, em paz, alegres e amorosos. E disso é o que o mundo mais necessita. Devemos treinar nossa forma de ser, que é a base de qualquer ação.

Nossa qualidade de ser determina
a nossa qualidade de agir.

Certas pessoas dizem: "Não fique sentado aí, faça alguma coisa!". Quando vemos injustiças, violência e sofrimento ao nosso redor, queremos naturalmente fazer algo para ajudar. Sendo um jovem monge no Vietnã dos anos 1950 e 1960, junto a meus amigos e alunos tentei fazer de tudo para criar um budismo capaz de responder aos enormes desafios e sofrimentos da época. Nós sabíamos que oferecer cânticos e rezas não seria suficiente para salvar o país de uma desesperadora situação de conflito, divisão e guerra.

Começamos a publicar uma revista budista semanal de grande alcance nacional, fundamos a Escola de Jovens para Serviço Social para tentar trazer alívio e apoio aos vilarejos devastados pela guerra, além de termos fundado a Universidade Van Hanh, em Saigon, para oferecer uma abordagem mais moderna à educação das novas gerações. Com todo esse trabalho, aprendemos que a qualidade da nossa ação dependia da qualidade do nosso ser. Por isso, organizamos encontros semanais para a prática de mente atenta no monastério Floresta de Bambu, que ficava bem próximo. Lá, praticávamos meditação sentados, caminhando e comendo juntos, e separávamos um tempo para ouvir profundamente os desafios e as alegrias uns dos outros. Com a energia da amizade, criamos um maravilhoso e feliz local de refúgio.

Portanto, além do "Não fique sentado aí, faça alguma coisa!", também podemos dizer: "Não faça nada, fique sentado aí!". Parar, permanecer tranquilo e praticar mente atenta pode nos proporcionar uma dimensão inteiramente nova do ser. Podemos transformar nossa raiva e ansiedade, e cultivar nossa energia de paz, compreensão e compaixão como base para a ação. As energias da sabedoria, compaixão, inclusão, coragem, paciência e indiscriminação (nunca menosprezando nenhuma delas) são qualidades dos seres despertos. Cultivar tais energias nos ajuda a aproximar a dimensão suprema da dimensão histórica, para que possamos viver de forma ativa, mas com tranquilidade e alegria, livres do medo, do estresse e do desespero. Podemos continuar sendo muito ativos, mesmo fazendo tudo na paz e com alegria. Esse é o tipo de ação de que mais precisamos. Quando pudermos fazer isso, nosso trabalho será de grande ajuda para nós mesmos e para o mundo.

A AÇÃO DA NÃO-AÇÃO

Certas vezes, não fazer nada é o melhor que podemos fazer. A não-ação já é alguma coisa. Há pessoas que parecem não fazer muito, mas sua presença é crucial para o bem-estar do mundo. Em muitas famílias, costuma haver uma pessoa que não ganha muito dinheiro, que pode ser considerada como alguém não muito ativo, mas se essa pessoa não estivesse por perto, a família seria bem menos feliz e estável, pois ela contribui para a qualidade do nosso ser, da não-ação.

Imagine um barco atravessando o mar repleto de refugiados em desespero. Esse barco é surpreendido por uma tempestade e as pessoas entram em pânico. Se todos entrarem em pânico, é bem possível que façam tudo errado e o barco vá a pique. Porém, se uma única pessoa conseguir manter a calma, poderá inspirar os demais a se acalmarem. Se, de uma posição de paz, essa pessoa pedir ao restante do barco que fique sentado, quieto, todos poderão ser salvos. De certa forma, essa pessoa não fez nada, mas ela contribuiu, acima de tudo, com a sua calma e com a qualidade do seu ser. Essa é a ação da não-ação.

Enquanto sociedade, vivemos tentando fazer coisas para resolver as diversas dificuldades que enfrentamos. Ainda assim, quanto mais fazemos, pior a situação parece ficar. Portanto, devemos observar o terreno das nossas ações, que é a nossa qualidade de ser.

Em Plum Village, organizamos retiros para israelitas e palestinos. No Oriente Médio, a vida dessas pessoas pode ser uma eterna luta pela sobrevivência. Existe sempre algo a ser feito e nenhum momento de calma. Porém, quando elas chegam ao Plum Village, é criado um ambiente de paz para que descansem, parem, fiquem sentadas e retornem a si mesmas. Elas se sentam ao nosso lado, caminham e comem conosco. Exercitam o relaxamento profundo. Ninguém faz nada especial, mas ainda assim acontece uma revolução. Após alguns poucos dias de prática, todos se sentem bem melhor. Essas pessoas têm um espaço interior, e são capazes de se sentar e ouvir o sofrimento do outro lado com compaixão. Vários dos jovens participantes desses retiros nos disseram que, pela primeira vez, acreditavam em uma possibilidade de paz no Oriente Médio.

Se queremos organizar uma conferência sobre paz ou meio-ambiente, devemos fazê-lo da mesma maneira. Os líderes mundiais podem se reunir, não apenas para ficarem sentados ao redor de uma mesa e tomar decisões, mas para passar um tempo juntos, como amigos, estabelecendo um relacionamento humano. Quando prestamos real atenção aos sofrimentos e às dificuldades alheias, e quando podemos expressar nossos vislumbres e ideias usando discursos amorosos, nossas negociações alcançam o êxito. Quando existe entendimento, é possível liberar o medo e a raiva.

Restaurar a comunicação é a prática básica mais importante para a paz.

Devemos nos organizar para que exista tempo suficiente para vivermos juntos e em paz, para pensarmos e agirmos em paz durante uma conferência, pois, dessa forma, será possível estabelecer o tipo de vislumbre de que nossas nações precisam. A paz não é algo que devemos esperar no futuro. A paz é algo em que podemos *estar* a todo momento. Se queremos paz, devemos estar em paz. A paz é uma prática, não uma esperança. Dizemos que nossos líderes não podem gastar uma ou duas semanas juntos, mas a guerra e a violência nos custam muito dinheiro e inúmeras vidas. Nossos líderes políticos precisam da ajuda dos líderes espirituais quanto a esses problemas globais. Eles devem trabalhar lado a lado. Um verdadeiro trabalho de paz exige uma dimensão espiritual... a prática da paz.

QUAL É O SEU SONHO?

Certa vez na Holanda, uma jornalista me perguntou: "Existe algo que o senhor gostaria de fazer antes de morrer?". Eu não soube o que responder, pois ela não conhecia muito bem os ensinamentos. Portanto, o melhor que pude fazer foi olhar para ela e sorrir.

Na verdade, não acredito existir algo que eu gostaria de fazer antes de morrer, pois, da maneira como enxergo, eu nunca vou morrer, e as coisas que eu queria fazer já estou fazendo há bastante tempo. Seja como for, na dimensão suprema não existe mais nada a ser feito. Quando eu era um monge de trinta anos, durante a guerra do Vietnã, escrevi um poema que continha os seguintes versos: "Meus queridos, o trabalho de reconstrução poderá levar milhares de vidas, mas este trabalho já foi completado há milhares de vidas". Na dimensão suprema não há nada para fazer. Praticar a ausência de objetivo não significa que não temos um sonho ou aspiração, mas que nos mantemos em contato com a dimensão suprema no momento presente, para que possamos realizar nossos sonhos com alegria, calma e liberdade.

Todos temos um desejo profundo de fazer algo durante nossa vida. Estando ou não ciente disso, no fundo do seu coração existe algo que você sempre quis fazer. Não uma vontade passageira, mas uma intenção profunda que pode ter começado a surgir em seu coração quando você ainda era bem novo. Esse é o seu sonho mais querido, seu maior interesse. Quando você identifica e nutre seu mais profundo desejo, ele poderá se tornar uma fonte de grande felicidade, energia e motivação. Poderá lhe oferecer um caminho, uma direção. Poderá servir de sustento nos momentos mais difíceis.

Nosso sonho nos dá vitalidade.
Dá um sentido à nossa vida.

Todos temos um sonho. Você precisa separar um tempo para estar tranquilo, observar profundamente e ouvir seu coração a fim de descobrir qual é o seu maior sonho. Você pretende conseguir muito dinheiro, poder, fama, sexo... ou é outra coisa? O que você realmente quer fazer com a sua vida? Não espere até ficar velho para se fazer tais perguntas. Quando puder identificar sua intenção mais profunda, você terá uma chance de ser verdadeiro consigo mesmo, de viver o tipo de vida que gostaria de viver, de ser o tipo de pessoa que gostaria de ser.

SONHOS COMPARTILHADOS

Quando você começa um relacionamento com alguém, deveria tentar descobrir quais são os sonhos mais profundos dessa pessoa. Pergunte o que ela quer fazer da vida. Descubra isso antes de se casar, não depois. Se você mora com alguém, mas cada um persegue um ideal diferente, vocês nunca serão capazes de se relacionar de maneira profunda. Portanto, separe um tempo para se sentar com calma ao lado do seu parceiro e faça tais perguntas. Se você o ama, deve entendê-lo e ajudá-lo a entender o seu lado. É trágico compartilhar uma cama e sonhar coisas diferentes. Conversar com o parceiro sobre seus sonhos é uma maneira de aprofundar a comunicação e fazer com que os dois sigam na mesma direção, juntos.

Você também pode perguntar aos seus pais sobre os sonhos deles: "Vocês tinham um sonho quando eram jovens? Foram capazes de realizá-lo?". Se puder fazer esse tipo de pergunta, seu relacionamento com seus pais se tornará real e profundo. É uma maneira de descobrir quem seus pais realmente são. Eles poderão abrir seus corações, e você se sentirá próximo deles, como um amigo. E, se seus pais ainda não conseguiram realizar os tais sonhos, você poderá realizá-los em nome deles, pois você é a continuação deles.

Olhando para dentro de si, para seus sentimentos e sofrimentos, você poderá enxergar os seus pais, e os sofrimentos, as esperanças e os sonhos deles. Ainda que eles já tenham falecido, você poderá analisar tais questões com profundidade e ouvir uma resposta, pois você é a continuação dos seus pais, e eles continuam vivos dentro de você, em todas as células do seu corpo.

O mesmo vale para nossos ancestrais espirituais. Ainda que nunca tenha estado com eles, se você recebeu seus ensinamentos e colocou-os em prática, eles também vivem em você. Estão presentes na maneira como você dá um passo consciente, na maneira como corta o pão.

SUBMETER-SE

Certa vez, um aluno me perguntou o que eu pensava sobre "submeter-se à vontade de Deus". Para mim, a vontade de Deus é que cada um seja o seu melhor. Devemos estar vivos, e devemos desfrutar das maravilhas da vida e ajudar os demais para que possam fazer o mesmo. Essa é a vontade de Deus. É também a vontade da natureza. A Mãe Terra está sempre fazendo o melhor possível e sendo o mais original possível, aceitando e perdoando, como ela bem sabe fazer. A Mãe Terra está fazendo a vontade de Deus. E nós, que somos filhos da Terra, podemos aprender com ela. Podemos aprender a ser pacientes e tolerantes como ela. Podemos viver de maneira a cultivar e preservar nossa originalidade, beleza e compaixão.

Se temos a boa intenção de cultivar a felicidade, de transformar nosso sofrimento e de ajudar as pessoas ao nosso redor a transformar os delas; se temos a intenção de nos mantermos completamente presentes, de vivermos profundamente a vida que nos foi dada e de ajudarmos os demais a fazerem o mesmo, isso é submeter-se à vontade de Deus. Não é uma submissão passiva. A vontade de viver em paz, feliz e com compaixão é repleta de vitalidade. E não se trata apenas da vontade de Deus, mas da nossa própria vontade. Portanto, a pessoa que se submete e a que é submetida não são entidades separadas. A dimensão suprema está bem aqui, dentro de nós.

SEU SONHO É AGORA

Tendemos a pensar que existe um meio ou um caminho para realizarmos nosso sonho, e que, ao final desse percurso, nosso sonho será realizado. Porém, no espírito do budismo, quando temos um sonho, uma intenção, um ideal, devemos vivê-lo. O seu sonho poderá ser realizado neste exato momento. Viva de maneira que cada passo na direção correta e cada respiração ao longo do caminho se tornem a realização do seu sonho. O seu sonho não o afasta do presente. Ao contrário, ele se torna realidade neste exato momento.

> *Viver cada momento é uma maneira de realizar nossos sonhos, não existe diferença entre o fim e os meios.*

Digamos, por exemplo, que você sonha com libertação, iluminação e felicidade. Na vida cotidiana, todos os seus pensamentos, palavras e ações devem ser dirigidos à realização dessa libertação, iluminação e felicidade. Você não precisa esperar chegar ao fim do caminho para ter tudo isso. Assim que der um passo em direção à libertação, ela se fará presente. A libertação, a iluminação e a felicidade são possíveis a cada passo do caminho. Não há caminho para a felicidade; a felicidade é o caminho.

THICH NHAT HANH

SEU DESTINO ESTÁ EM CADA PASSO

Há poucos anos, visitei a montanha Wutai Shan, na China, com alguns alunos e amigos monásticos. Trata-se de um famoso destino para peregrinos e turistas, e dizem ser o local de moradia de Manjushri, o Bodhisattva do Grande Entendimento. Existem mais de mil degraus até o topo da montanha, mas o nosso objetivo não era chegar lá, e sim encontrar a paz e a felicidade a cada passo.

Lembro muito bem da caminhada. Eu inspirava a cada degrau, e expirava no seguinte. Várias pessoas estavam ofegantes ao nos ultrapassar e olhavam para o lado para ver quem estava indo tão devagar. Nós desfrutávamos de cada passo. De tempos em tempos, parávamos para admirar a vista. Quando chegamos ao topo da montanha, não estávamos cansados. Estávamos repletos de energia, completamente renovados e nutridos por conta da subida.

Quando os humanos desenvolveram a capacidade de caminhar e correr, o fizeram para caçar ou escapar de algo. Essa energia da caça e da fuga está impressa em cada célula dos nossos corpos. Hoje, porém, não temos a mesma necessidade de caçar, lutar ou fugir do perigo, mas continuamos caminhando com a mesma energia. Nós nos desenvolvemos do *Homo erectus* ao *Homo sapiens*, e temos a chance de nos tornarmos o *Homo conscius*, uma espécie consciente, desperta. Tal espécie aprenderá a andar em liberdade. E caminhar em paz e em liberdade é uma ótima maneira de trazer a dimensão suprema à dimensão histórica. É uma maneira de nos treinarmos a não correr.

EXERCÍCIO: A ARTE DE CAMINHAR

Você pode praticar a meditação caminhando onde estiver, na cidade ou no parque, indo ao trabalho ou fazendo compras, no aeroporto ou às margens de um rio. Ninguém precisa saber que você está meditando enquanto caminha. Você pode caminhar à vontade, naturalmente, e sugiro que escolha uma distância curta, que percorra todos os dias, talvez do estacionamento ao escritório, ou de sua casa ao ponto do ônibus. Não é necessário andar muito para dominar este tipo de meditação. Nós podemos sentir seus benefícios neste exato momento. Um único passo é suficiente para alcançarmos a paz e a liberdade.

A meditação caminhando está conectada à prática da respiração consciente. Quando caminha, você coordena sua respiração e seus passos. Relaxe seu corpo e abandone todos os pensamentos sobre o passado e o futuro. Traga sua mente de volta ao momento atual. Sinta o contato com o chão. Ao inspirar e ao expirar, perceba o número de passos que você dá em cada movimento. Permita que sua respiração seja natural. Após um tempo, você perceberá que existe um ritmo, uma coordenação, entre sua respiração e seus passos. Parece música.

> *Estarmos totalmente concentrados em nossa respiração nos liberta.*
> *Podemos nos tornar pessoas livres em questão de segundos, livres para transformar os hábitos dos nossos antepassados.*

Quando pratica meditação caminhando, você caminha com o seu corpo e com a sua mente. Você deve estar presente de verdade, a cada passo. "Eu estou aqui. Estou realmente aqui." Você pode tentar a caminhada lenta. Se estiver sozinho, caminhe o mais lentamente que puder. Ao inspirar, dê um passo. Ao expirar, dê outro passo.

Inspirando, você poderá dizer: "Cheguei." Expirando, poderá dizer: "Estou em casa." Isso quer dizer: "Cheguei no momento atual, no aqui e agora". Não é uma declaração, é uma realização. Você deve chegar de verdade. A cada passo, você evita a correria não apenas do seu corpo, mas também da sua mente. Com a meditação caminhando você reconhece seu hábito de viver apressado para que possa transformá-lo gradativamente.

Você deve investir 100% do seu corpo e da sua mente na meditação caminhando, pois só assim conseguirá chegar de verdade no tempo presente. Isso é um desafio. Se você não conseguir chegar agora, quando conseguirá? Portanto, mantenha-se firme. Continue respirando até sentir que chegou completamente, que está presente por inteiro. Depois, poderá dar mais um passo e imprimir o selo de chegada no chão em que estiver pisando. Abra um sorriso de vitória e júbilo! O cosmo inteiro é testemunha da sua chegada. Se você for capaz de dar um passo assim, será capaz de dar dois ou três. O essencial é alcançar o êxito logo no primeiro passo.

"Eu cheguei, estou em casa" quer dizer "não quero mais viver correndo". Passei a minha vida correndo e não cheguei a lugar nenhum. Agora eu quero parar. Meu destino é o aqui e agora, o único lugar e hora onde a vida de verdade é possível.

Esta é a meditação caminhando lentamente, uma maneira de você treinar para parar de verdade, ficar calmo e chegar. Quando estiver dominada a arte de andar lentamente, você poderá praticar a meditação caminhando a qualquer velocidade. Caminhar consciente não é necessariamente andar devagar, e sim caminhar com paz e liberdade. Cada passo dado com mente atenta nos nutre e cura. Você se volta à sua respiração e ao seu corpo. A cada respiro, a cada passo, você permite que seu corpo e seus sentimentos relaxem. Você caminha naturalmente, em paz e liberdade, completamente presente em cada passo, consciente do seu corpo e de tudo à sua volta.

A cada passo, você ganha soberania, liberdade e se transforma no seu verdadeiro eu. Você não precisa ir ao seu destino para chegar. Você chega a cada passo e percebe que está vivo, que seu corpo é uma obra-prima do cosmo. Ao experimentar a paz e a liberdade a cada passo, você experimenta o nirvana, seu corpo cósmico, o corpo de Deus. Não pense que o nirvana é algo distante, pois você pode alcançá-lo a cada passo.

Quando praticamos a meditação caminhando, tocamos o Supremo, o Reino de Deus, com nossos pés, nossa mente e nosso corpo inteiro.

CAPÍTULO 4

IMPERMANÊNCIA
A HORA É AGORA

Graças à impermanência, tudo é possível.

Algumas tartarugas vivem trezentos ou quatrocentos anos, e algumas sequoias vivem mais de mil anos. A nossa expectativa de vida é de cerca de cem anos, não mais que isso. Mas como estamos vivendo esses anos? Estamos aproveitando ao máximo? O que viemos fazer aqui?

Mais tarde, podemos olhar para trás e nos perguntar: "O que eu fiz com a minha vida?" O tempo passa rápido demais. A morte chega de maneira inesperada. Como podemos administrar tudo isso? Esperar até amanhã é esperar demais. Devemos viver nossa vida ao máximo, para que ela não seja desperdiçada, e para que não exista arrependimento na hora da nossa morte.

Quando nos estabelecemos verdadeiramente no presente, sabemos que estamos vivos e que isso é um milagre. O passado foi embora, o futuro ainda não chegou. *Este é o único momento no qual podemos estar vivos, e nós estamos!*

Devemos transformar o momento presente no mais maravilhoso da nossa vida.

Contemplar a impermanência nos ajuda a viver a liberdade e a felicidade no momento presente. Nos ajuda a enxergar a realidade como ela é, para que possamos abraçar a mudança, enfrentar os medos e desfrutar do que temos. Quando enxergamos a impermanência de uma flor, de um pedregulho, da pessoa que amamos, do nosso próprio corpo, dor ou pena, ou mesmo de uma situação, podemos entrar no coração da realidade.

A impermanência é algo maravilhoso. Se as coisas não fossem impermanentes, a vida não seria possível. Uma semente nunca se transformaria em milho; uma criança nunca se tornaria adulta; não haveria cura nem transformação; nunca realizaríamos nossos sonhos. Portanto, a impermanência é muito importante para a vida. Graças à ela tudo é possível.

VEREMOS, VEREMOS

Existe uma velha história chinesa sobre o Sr. Ly, morador de um vilarejo rural, cuja vida dependia de seu cavalo. Certo dia, o cavalo fugiu e todos os vizinhos ficaram com pena dele: "Como o senhor é azarado! Que falta de sorte!". Mas o Sr. Ly não ficou ansioso: "Veremos", disse ele, "Veremos."

Alguns dias depois, o cavalo retornou, trazendo consigo vários cavalos selvagens. O Sr. Ly e sua família ficaram ricos de uma hora para a outra. "Como o senhor é sortudo!", exclamaram os vizinhos. "Veremos", respondeu o Sr. Ly, "Veremos." Certo dia, seu único filho estava domando um dos cavalos selvagens, mas caiu no chão e quebrou a perna. "Que azar!", voltaram a dizer os vizinhos. "Veremos", respondeu o Sr. Ly, "Veremos".

Poucas semanas mais tarde, o Exército Imperial passou pelo vilarejo com a determinação de recrutar para as forças armadas todos os jovens aptos. Não levaram o filho do Sr. Ly, pois ele ainda se recuperava da perna quebrada. "Que sorte a do senhor!", disseram os vizinhos. "Veremos", respondeu o Sr. Ly, "Veremos."

A impermanência é capaz de trazer felicidade e sofrimento, ela não envolve apenas más notícias. Graças à impermanência, os regimes despóticos são sujeitos a falhas. Graças à impermanência, a doença pode ser curada.

Graças à impermanência, podemos desfrutar das maravilhas das quatro lindas estações do ano. Graças à impermanência, qualquer coisa pode ser alterada e se direcionar para algo mais positivo.

Em certos momentos da Guerra do Vietnã, parecia que a violência nunca chegaria ao fim. Nossas equipes de trabalho social foram incansáveis na reconstrução de vilarejos destruídos pelas bombas. Muita gente perdeu sua casa. E teve o caso de um vilarejo próximo à zona desmilitarizada que reconstruímos duas ou três vezes após os bombardeios. Os jovens nos perguntavam: "Devemos reconstruí-lo ou seria melhor desistir?". Por sorte, fomos inteligentes o suficiente para não desistir. Desistir do vilarejo seria desistir da esperança.

Mais ou menos na mesma época, um grupo de jovens me procurou e perguntou: "Querido mestre, o senhor acha que a guerra terminará logo?". Nesse momento, eu não conseguia enxergar nenhum sinal do final da guerra, mas não queria semear o desespero. Fiquei em silêncio durante um tempo. Por fim, respondi: "Queridos amigos, segundo Buda, tudo é impermanente. A guerra terá que terminar algum dia." A questão é o que podemos fazer para acelerar a impermanência? Todo dia existe algo a ser feito para auxiliar a situação.

A ARTE DE VIVER

O PODER DO VISLUMBRE

Podemos concordar com a verdade da impermanência, mas ainda assim nos *comportarmos* como se tudo fosse permanente, e este é o problema. Isso nos impede de aproveitar as oportunidades disponíveis neste exato momento para modificar uma situação ou para trazer felicidade a nós mesmos e a outras pessoas. Com o vislumbre da impermanência, você não espera. Você faz o possível para marcar a diferença, para fazer quem você ama feliz e para viver o tipo de vida que gostaria.

Buda não nos ofereceu a contemplação na impermanência como uma noção, mas para alcançarmos o vislumbre da impermanência aplicando-o em nossa vida cotidiana. Existe uma diferença entre uma ideia e um vislumbre.

Pense no momento de acender uma chama em um palito de fósforo. Assim que a chama se manifesta, ela começa a consumir o fósforo. A ideia da impermanência é como o fósforo, e o vislumbre da impermanência é como a chama. Quando a chama se manifesta, ela consome o fósforo, e não precisamos mais dele. O que precisamos é da chama, não do fósforo. Estamos utilizando a ideia de impermanência para conseguir o vislumbre da impermanência.

Podemos transformar o vislumbre da impermanência em um vislumbre vivo que esteja conosco a cada momento.

O vislumbre da impermanência tem o poder de nos libertar. Imagine uma pessoa que você ama dizendo algo que te deixa chateado, e você querendo puni-la com outras palavras desagradáveis. Essa pessoa te fez sofrer, e você quer que ela sofra da mesma maneira. Você está a ponto de iniciar uma discussão, mas logo se lembra de fechar os olhos e contemplar a impermanência. Você imagina essa pessoa querida daqui a trezentos anos. Ela não passará de cinzas. E talvez nem demore trezentos anos; talvez daqui a trinta ou cinquenta anos vocês dois tenham se transformado em cinzas. De repente, você percebe que é uma bobagem ficar chateado e discutir. A vida é tão preciosa. Com apenas alguns segundos de concentração, você pode reconhecer e se aproximar da sua natureza impermanente. O vislumbre da impermanência destrói a raiva. E quando você abrir os olhos, não vai mais querer discutir, vai querer apenas tomar essa pessoa em seus braços. Sua raiva se transformará em amor.

VIVENDO À LUZ DA IMPERMANÊNCIA

Muitas das pessoas que amei neste mundo (meus familiares e amigos próximos) já faleceram. O fato de eu continuar respirando é um milagre, e eu sei que respiro por eles. Todos os dias quando me levanto, estiro meu corpo e faço suaves exercícios matinais que me trazem uma enorme felicidade.

A ARTE DE VIVER

Não faço exercício para me manter em forma ou ficar mais saudável, mas para desfrutar do ato de estar vivo.

A felicidade e a alegria de praticar movimentos conscientes nutrem meu corpo e minha mente. A cada movimento que faço, sinto a maravilha de ainda conseguir fazer esse tipo de coisa. Exercitando-me dessa forma, desfruto do fato de ter um corpo; do fato de estar vivo. Eu aceito a vida e o meu corpo como eles são, e sinto muita gratidão. Mesmo envelhecendo, experimentando dores e problemas de saúde, ainda podemos desfrutar dos movimentos quando a dor não é forte demais. Se você ainda consegue respirar, pode desfrutar da sua respiração. Se ainda caminha, pode desfrutar do seu caminhar. Se ainda entra em contato com os elementos da paz e do frescor dentro de si mesmo e ao seu redor, seu corpo e sua mente aproveitam isso e te ajudarão a aceitar as dificuldades e a dor física.

Podemos ter medo da morte, mas ainda assim não conseguirmos nos enxergar envelhecendo. É duro acreditar que um dia talvez não seja possível caminhar ou ficar de pé. Se tivermos sorte, um dia seremos velhos o suficiente para nos sentarmos em uma cadeira de rodas. Ao contemplarmos isso, valorizamos cada passo e sabemos que o futuro não será como hoje. Reconhecer a impermanência nos possibilita desfrutar dos dias e das horas que recebemos. Isso nos ajuda a valorizar nosso corpo, nossos entes queridos e todas as condições que temos para sermos felizes neste exato momento. Podemos ficar em paz ao saber que vivemos nossa vida ao máximo.

RESPIRE, VOCÊ ESTÁ VIVO

Eu aprecio os dias e as horas que ainda me restam viver. Eles são preciosos, e me comprometo a não desperdiçar nenhum.

Venho praticando para não desperdiçar nenhum momento. Seja caminhando ou trabalhando, ensinando ou lendo um livro, tomando chá ou fazendo uma refeição junto à minha comunidade, eu aprecio cada segundo. Tenho vivido cada respiração, cada passo, cada ação, e tudo profundamente. Quando caminho, combino essas palavras a cada passo. Quando inspiro, digo: "Respire de maneira inesquecível", e ao expirar, digo: "Viva momentos inesquecíveis, momentos maravilhosos". A felicidade está presente a cada passo, e eu sei que no dia de amanhã não terei nenhum arrependimento.

Respirar é uma espécie de celebração, celebrar o fato de estarmos vivos, de ainda estarmos vivos.

A ARTE DE VIVER

ENCARANDO MEDOS SILENCIOSOS

Muitas vezes, a alegria de saber que ainda estamos vivos contém um medo enraizado que não queremos encarar: o medo de morrer. Embora não queiramos admitir nem pensar nisso, bem no fundo do nosso coração todos sabemos que um dia vamos morrer. Chegará o dia em que estaremos deitados, com o corpo imóvel. Não seremos mais capazes de respirar, pensar ou sentir emoções, e nosso corpo começará a se decompor. Podemos nos sentir desconfortáveis sempre que pensamos na morte. Podemos ter a tendência de afastar tal pensamento da mente. Podemos querer negá-lo. Em silêncio, o medo pode estar nos devorando, dirigindo nossos pensamentos, palavras e ações, e tudo sem que a gente perceba.

Manter a consciência dos nossos oitos corpos em nossa vida cotidiana ajuda a transformar nosso enraizado medo de morrer. Fazendo isso, enxergamos que nosso corpo físico é uma pequena parte de quem somos, e enxergamos as várias pequenas formas pelas quais somos continuados. Não deveríamos negar a impermanência do nosso corpo físico. Manter tal consciência viva em nosso dia a dia pode nos ajudar a enxergar com clareza como fazer bom uso do tempo que ainda nos resta. Buda nos ensinou as Cinco Lembranças (uma contemplação para recitar no final de cada dia) como um exercício para abrandar nosso medo da morte e nos lembrar da preciosidade que é a vida.

THICH NHAT HANH

EXERCÍCIO: AS CINCO LEMBRANÇAS

Separe um momento para ler estas linhas bem devagar, fazendo uma pausa para acompanhar sua respiração e relaxar entre cada lembrança.

A minha natureza é envelhecer.
Não posso evitar o envelhecimento.

A minha natureza é adoecer.
Não posso evitar ficar doente.

A minha natureza é morrer.
Não posso evitar a morte.

Tudo o que é querido por mim e todos os que amo
têm a natureza da mudança.
Não posso evitar ser separado deles.

Minhas ações são minhas únicas posses.
Não posso escapar às consequências das minhas ações.
Elas são o solo que me sustenta.

Para enxergar a dimensão suprema da realidade, devemos observar profundamente a dimensão histórica, a dimensão na qual estamos vivendo. As Cinco Lembranças nos ajudam a entender a "verdade relativa" da morte: nosso corpo *vive* o envelhecimento, a doença, a morte. Mas também temos nosso corpo cósmico, e é muito importante nos lembrarmos disso. Quanto mais observamos com o vislumbre da ausência de imagem, mais enxergamos que "transformação" é uma palavra bem melhor do que "morte". Ao contemplarmos a impermanência e o "não-eu" à luz da quarta lembrança, começamos a nos aproximar do nível mais profundo de realidade, a "verdade máxima" por trás das imagens. Embora a morte pareça nos separar de quem amamos, observando profundamente podemos enxergar que eles continuam vivos dentro de nós, embora de novas formas. Com a quinta lembrança, vemos que nossas ações nos continuam no futuro, e, fazendo isso, nos aproximamos da verdadeira natureza do não nascimento e da não morte, do não vir e do não ir, da igualdade e da não diferença. Recitando as Cinco Lembranças regularmente, podemos aplicar os vislumbres da vacuidade, da ausência de imagem, da ausência de objetivo e da impermanência em nossa vida cotidiana.

VISLUMBRE APLICADO

Antoine-Laurent Lavoisier, o francês pai da química moderna, foi o cientista que descobriu que "nada é criado, nada é destruído, tudo está em transformação". Certas vezes, eu me pergunto se Lavoisier foi capaz de, em seu dia a dia, viver de acordo com essa verdade. Ele viveu na época da Revolução Francesa, e aos cinquenta anos foi morto na guilhotina. Lavoisier tinha uma esposa maravilhosa, que o amava demais, e que também se tornou cientista. Porém, será que ele, que teve esse grande vislumbre de que nada pode ser destruído, teve medo de morrer no dia em que subiu à guilhotina?

O vislumbre e as descobertas que Lavoisier fez continuam a ressoar até hoje. Portanto, ele não morreu. Sua sabedoria continua aqui. Ele continua de novas formas. Quando dizemos que nada é criado, nada é destruído, tudo se transforma, isso também se aplica ao nosso corpo, sensações, percepções e formações mentais, à nossa consciência.

IMPERMANÊNCIA E NÃO-EU

Quando você entra profundamente em contato com a impermanência, você entra em contato com o não-eu. A impermanência e o não-eu não são coisas diferentes. Em termos de tempo, é a impermanência; em termos de espaço, é o não-eu, a vacuidade, o interser. São palavras diferentes, mas são a mesma coisa. Quanto mais profundamente entendemos a impermanência, mais profundamente entendemos os ensinamentos do não-eu e do interser.

Impermanência é um nome que descreve a natureza de algo, seja uma flor, uma estrela, um ente querido ou seu próprio corpo. Mas não devemos pensar que ela só se manifesta na aparência externa, que o interior é eterno. A impermanência significa que nada pode permanecer igual em dois momentos consecutivos. Portanto, na verdade, não existe "uma coisa" impermanente. Semanticamente, é um absurdo dizer que "tudo é impermanente". A verdade é que tudo *é* apenas por um breve instante.

Vamos imaginar que contemplamos a luz trêmula de uma vela. Em um primeiro momento, pode parecer que a chama é contínua, mas na verdade estamos vendo uma série de chamas que se sucedem. De um milésimo de segundo a outro, novas chamas se manifestam, surgindo de elementos não-chama, incluindo o oxigênio e o combustível. E a chama irradia luz e calor em todas as direções. O *input* e o *output* acontecem o tempo inteiro. A chama que vemos agora não é exatamente igual à que víamos há um segundo, mas também não é inteiramente diferente. O mesmo acontece conosco, que estamos sempre mudando. O nosso corpo, sensações, percepções, formações mentais e consciência mudam de um momento para o outro. A cada segundo, as células do nosso corpo, assim como nossas sensações, percepções, ideias e estados mentais abrem espaço ao novo.

Eu me lembro do dia em que, em um retiro na Alemanha, um jovem casal contraiu matrimônio. No dia seguinte, sugeri que se perguntassem: "Meu amor, você é a mesma pessoa com quem me casei ontem ou é uma pessoa diferente?". Pois, segundo a impermanência, nós mudamos de um dia para o outro. Não somos exatamente a mesma pessoa, mas também não somos pessoas diferentes. O que fui ontem não é o mesmo que sou hoje.

Quando nos apaixonamos, tendemos a querer agarrar a pessoa que amamos com unhas e dentes. Queremos que ela permaneça igual e que nos ame para sempre. Hoje, essa pessoa diz que nos ama e que somos atraentes, mas será que amanhã ela ainda dirá "eu te amo"? Quando amamos alguém, temos medo de perder essa pessoa. Nossa mente vive querendo manter-se presa a algo permanente, algo duradouro. Nós queremos continuar sendo de determinada maneira, e queremos que nosso amado também permaneça de determinada maneira. Mas isso é impossível; os dois estão mudando constantemente. Quando aceitamos a impermanência, permitimos que cada um mude e cresça. De um dia para o outro, não somos os mesmos nem somos diferentes. E isso é uma boa notícia.

Neste momento, você é novo e o seu amado também, e isso acontece porque vocês são livres.

A ARTE DE VIVER

REGANDO SEMENTES

Quando sabemos que nosso amado não é um eu individualizado, mas uma composição de vários elementos, podemos regar os elementos positivos que existem nele para ajudá-los a crescer. O mesmo vale para nós. Podemos tentar regar as sementes que gostaríamos que crescessem e se transformassem dentro de nós. Nossa mente é como um jardim com todos os tipos de semente: sementes de alegria, paz, mente atenta, compreensão e amor, mas também sementes de desejo, raiva, medo, ódio e esquecimento. A maneira como você age e a qualidade da sua vida dependem das sementes que rega. Plantando sementes de tomate em seu jardim, você terá tomates. Da mesma forma, plantando sementes de paz em seu jardim, você terá paz. Quando a semente da felicidade que existe dentro de você é regada, sua felicidade floresce. Quando a semente da raiva que existe dentro de você é regada, você se tornará raivoso. As sementes que são regadas constantemente se tornam fortes, e você deve ser um jardineiro consciente, capaz de decidir que sementes cultivar e quais não permitir que cresçam.

Cada um de nós temos nossos pontos fortes e fracos. Podemos pensar "meu pavio é curto" ou "sou um bom amigo, sei escutar". Acreditamos que tais qualidades nos definem, mas elas não pertencem apenas a nós, pertencem a toda a rede que herdamos. Quando enxergamos que somos feitos de elementos não-eu, é muito mais fácil aceitar nossas qualidades, bem como nossos pontos fracos e limitações, com compaixão e compreensão.

Quando estamos comprometidos em um relacionamento, temos dois jardins: o nosso e o do nosso amado. Em primeiro lugar, devemos cuidar do nosso jardim e dominar a arte da jardinagem. Em todos nós, existem flores e dejetos. Os dejetos são a raiva, o medo, a discriminação e o ciúme. Se você regar os dejetos, fortalecerá suas sementes negativas. Se regar as flores da compaixão, compreensão e amor, fortalecerá suas sementes positivas. Depende de você escolher o que regar.

Se você não sabe como exercitar esse cultivo seletivo do seu próprio jardim, não terá capacidade suficiente para ajudar a cultivar as flores do jardim da pessoa que ama. Ao cuidar bem do seu próprio jardim, você estará ajudando a cuidar do jardim do seu amado. Uma única semana de prática pode fazer uma grande diferença. E qualquer pessoa pode fazer isso. Todos devemos nos exercitar para manter nossos relacionamentos vivos. Sempre que pratica meditação caminhando, voltando-se ao seu corpo e à sua mente a cada passo, você ajuda a cultivar a paz, a alegria e a liberdade de que tanto necessita. Sempre que inspira e sabe que está inspirando, sempre que expira e sorri ao expirar, você se transforma em quem realmente é. Você se torna o seu próprio mestre, o jardineiro do seu próprio jardim.

A ARTE DE VIVER

Cuide bem do seu jardim para que possa ajudar o seu amado a cuidar bem do dele.

Se você está em um relacionamento complicado e quer fazer as pazes com a outra pessoa, primeiro deve voltar-se a si mesmo. Volte-se para o seu jardim e cultive as flores da paz, compaixão, gratidão, entendimento e alegria. Só então poderá se aproximar do outro e oferecer paciência, aceitação, compreensão e compaixão.

Quando você se compromete com outra pessoa, faz uma promessa de crescerem juntos. É responsabilidade de vocês cuidarem um do outro. Porém, com o passar do tempo, você poderá encontrar dificuldades e começar a negligenciar seu jardim. Certa manhã, é possível que você acorde e, de repente, perceba que seu jardim está repleto de sementes e que a luz do seu amor perdeu o vigor. Mas nunca é tarde demais para fazer algo sobre isso. O seu amor continua presente, e a pessoa pela qual você se apaixonou continua lá, mas seu jardim está precisando de um pouco de atenção.

O SEU AMOR CONTINUA VIVO?

Quando você observa o seu relacionamento mais íntimo, talvez sinta que não reconhece mais a pessoa pela qual um dia se apaixonou. Ela parece ter desaparecido ou se transformado em outra, completamente diferente. Tudo mudou. Dificuldades e desentendimentos surgiram. Talvez nenhum de vocês seja hábil o suficiente na maneira de pensar, de falar e de se comportar, e negligenciaram seu relacionamento. Através de pensamentos, palavras e ações inadequadas, magoaram sem querer um ao outro, e fizeram isso com tanta frequência que já não se olham nem conversam de maneira amorosa. Um fez com que o outro sofresse muito, e vice-versa. Pode parecer que o amor que um dia existiu acabou. Porém, assim como a noz continua sendo a nogueira, o amor de ontem continua vivo no dia de hoje. É sempre possível reacender a chama do seu relacionamento e redescobrir a pessoa que um dia amou.

Olhando com os olhos da ausência de imagem, você verá que a pessoa pela qual um dia se apaixonou continua presente.

Certa vez, um casal francês de meia idade veio me visitar em Plum Village e me contou sua história. Quando se conheceram, eles ficaram profundamente apaixonados e escreviam as mais lindas e doces cartas de amor um para o outro. Naquela época, era bem mais especial receber uma carta do que hoje é receber um e-mail. As pessoas ouviam o ruído do carteiro se aproximando e esperavam receber uma correspondência. Todos guardavam suas cartas de amor com carinho e as mantinham em um local seguro, para que pudessem lê-las diversas vezes. No caso desta senhora, as cartas eram guardadas em uma caixa de biscoitos (uma típica caixa francesa de biscoitos LU), que ficava no interior do seu armário.

Quando nos apaixonamos, tudo o que queremos fazer é olhar o outro nos olhos e sentir sua presença o mais próximo possível. Não sentimos necessidade de comer, beber nem dormir. Olhar nos olhos do outro é suficiente para nos manter vivos.

Porém, se não sabemos como cuidar do nosso amor ou alimentar nosso relacionamento, depois de um tempo deixamos de sentir prazer ao olhar para o ser amado. Às vezes, basta olhar para eles para começarmos a sofrer. Preferimos checar as mensagens em nossos celulares ou ver televisão, mesmo sem gostar muito do que estamos assistindo, pois isso é bem melhor do que desligar a televisão e ser confrontado com a realidade da presença do outro.

E foi o que aconteceu com esse casal francês. Ao longo dos anos, o amor desbotou. Certo dia, o marido teve que fazer uma viagem de negócios e ficou alguns dias fora. Não era sua primeira viagem a trabalho, e a esposa aceitou a situação com certa indiferença. Porém, na manhã seguinte, enquanto ela arrumava o armário, encontrou a caixa de biscoitos onde guardava as cartas de amor.

Curiosa, ela abriu a caixa e começou a ler uma das cartas. As palavras do marido eram doces e amorosas, e tocavam diretamente o seu coração. Ao longo dos anos, as sementes positivas do amor deles foram sendo cobertas por camadas de poeira e lodo. Porém, ao reler aquelas cartas, as sementes boas foram novamente regadas na mente daquela mulher. Ela voltava a escutar o amor e a doçura presentes na voz do marido. Então, ela leu outra carta, depois outra, e permaneceu sentada até ler todas as cartas que guardara. Eram dezenas. Foi como se uma chuva fresca caísse sobre um solo seco. Ela pensou no que se transformara aquele amor lindo, aqueles dias felizes. Lembrou-se de que também costumava escrever cartas de amor ao marido e que se dirigia a ele de forma carinhosa, com amor, aceitação e compreensão.

Após ter lido todas aquelas cartas, ela sentiu uma vontade enorme de se reconectar com a pessoa pela qual se apaixonara há tantos anos. Então ela se sentou, pegou papel e caneta, e escreveu ao marido. Ela foi capaz de usar a mesma linguagem amorosa e doce do passado. Lembrou-se dos lindos momentos que passaram juntos, da sua conexão íntima e especial, e expressou seu desejo de renovar e reanimar seu amor. Depois, guardou a carta em um envelope e a deixou na mesa de cabeceira do marido.

Poucos dias mais tarde, o marido telefonou para avisar que demoraria mais alguns dias para voltar à casa, e ela respondeu com tanta confiança e amor em seu tom de voz que ele ficou assombrado: "Se realmente precisa de mais alguns dias, querido, tudo bem. Mas tente voltar o mais rápido possível". Ela não empregava esse tom com o marido há anos.

Quando ele chegou em casa, encontrou a carta na mesa de cabeceira. Ficou parado, em silêncio, por um bom tempo. Todas as sementes que estavam adormecidas ganharam nova vida enquanto ele lia as palavras da esposa. Ao sair do quarto para agradecê-la, ele era uma pessoa diferente. Aquelas palavras gentis, apaixonadas e amorosas suavizaram e abriram o coração do marido. Após tanto tempo, ele se sentia amado e querido. Uma reconciliação acontecia, e eles foram capazes de redescobrir um ao outro, renovar seu relacionamento e reviver seu amor.

GRAÇAS À IMPERMANÊNCIA, TUDO É POSSÍVEL

O amor é algo vivo, e precisa ser nutrido. Não importa quão bonito seja o nosso amor, se não soubermos como o alimentar, ele morrerá. Devemos aprender a cultivar nosso jardim amoroso para que nossa história de amor se transforme em uma longa história de amor. Não pense que o seu amor morreu. A pessoa pela qual você se apaixonou não desapareceu. Ela continua presente, esperando para ser redescoberta.

A vida é preciosa. Você está vivo agora, e não deve perder a oportunidade de restaurar e renovar o seu amor. A mente atenta pode operar milagres. Quando você pode reconhecer as maravilhosas qualidades do seu amado, e pode sentir e expressar sua gratidão, quando você pode se comunicar usando uma fala amorosa e ouvir com atenção, é capaz de restaurar seu amor e redescobrir a beleza em seu relacionamento. Mais tarde, quando você se transformar em chuva, não carregará nenhum arrependimento.

A verdade é que o sofrimento e a felicidade "intersão". Um não existe sem o outro. Graças à superação dos momentos difíceis que existem em nosso relacionamento, podemos aprofundar nosso amor. E a boa notícia é que esse sofrimento e essa felicidade são impermanentes. É por isso que Buda continuou a praticar, mesmo após ter alcançado a iluminação. Ele continuou a fazer bom uso do sofrimento para gerar a felicidade. Para todos nós, é possível fazer bom uso do sofrimento para criar felicidade, assim como um jardineiro faz bom uso do adubo para gerar flores.

Nosso sofrimento é impermanente,
por isso podemos transformá-lo.
E como a felicidade é impermanente,
devemos nutri-la sempre.

CAPÍTULO 5

O NÃO-DESEJO
VOCÊ JÁ TEM O SUFICIENTE

*Quando percebemos que, neste exato momento,
já temos o suficiente e já somos o suficiente,
a verdadeira felicidade se torna possível.*

A arte da felicidade é a arte de viver plenamente o momento presente. O aqui e agora é o único local e o único instante onde a vida está disponível e onde podemos encontrar tudo o que buscamos, incluindo amor, liberdade, paz e bem-estar.

A felicidade é um hábito. É um treinamento. Com mente atenta, concentração e vislumbre, podemos nos libertar da sensação de impaciência e desejo, e perceber que, neste exato momento, já temos condições mais do que suficientes para sermos felizes. Essa é a contemplação do não-desejo. Praticando a respiração consciente e nos voltando a nós mesmos para cuidar do nosso corpo ao longo do dia, podemos nos libertar de nossos arrependimentos do passado e preocupações com o futuro, nutrindo e curando elementos que estão disponíveis dentro de nós e ao nosso redor.

FISGADO

Contemplar o não-desejo é outra maneira de praticar a concentração na ausência de objetivo. Cada um de nós carrega uma boa dose de desejo internamente. Estamos sempre olhando para fora de nós mesmos, tentando encontrar algo que nos deixe saciados e completos... seja comida, prazer sexual, dinheiro, relacionamento, status social ou êxito. Porém, enquanto a energia do desejo estiver viva dentro de nós, nunca nos satisfaremos com o que temos e com quem somos neste momento, e a verdadeira felicidade não será possível. A energia do desejo nos projeta para o futuro, e, com isso, perdemos toda a nossa paz e liberdade no presente. Tudo parece indicar que só seremos felizes quando alcançarmos o que desejamos.

Porém, ainda que alcance seu objeto de desejo, você nunca se sentirá completamente saciado. Assim como um cão roendo um osso, não importa quantas horas você passe contemplando seu objeto de desejo, você nunca se sentirá satisfeito. Nunca sentirá que já tem o bastante.

A obsessão pode se tornar uma espécie de prisão que nos impede de experimentar a verdadeira felicidade e liberdade.

Podemos passar nossa vida inteira correndo atrás de riqueza, status, influência e prazeres sensuais, sempre pensando que essas coisas poderiam melhorar nossa qualidade de vida. Ainda assim podemos acabar sem tempo para viver. Nossa vida se torna apenas um meio para conseguir dinheiro e se tornar "alguém".

Buda usou a imagem de um peixe mordendo uma isca atraente. O peixe não sabe da existência de um gancho escondido na isca, que parece deliciosa. Porém, assim que a morde, o peixe fica enganchado e é capturado. O mesmo acontece conosco. Corremos atrás de coisas que parecem desejáveis, como dinheiro, poder e sexo, mas não percebemos o perigo que existe nelas. Destruímos nosso corpo e mente correndo atrás dessas coisas, e nem assim desistimos delas. Da mesma maneira que existe um gancho escondido na isca, existe perigo no objeto do nosso desejo. Quando enxergamos o gancho, aquilo que desejávamos perde seu poder de atração e nos tornamos pessoas livres.

Em um primeiro momento, tudo indica que, deixando de lado o que desejamos, perderemos muita coisa. Porém, quando finalmente nos livramos disso, percebemos que não perdemos nada. E nos tornamos até mais ricos do que antes, pois temos liberdade e o momento presente, assim como o lavrador que vendeu tudo para comprar o tesouro que existia na terra.

O VISLUMBRE NOS LIBERTA

Todos temos vislumbres. Sabemos que o objeto do nosso desejo não é tão valioso. Sabemos que não queremos ser capturados. Sabemos que não queremos gastar todo nosso dinheiro, tempo e energia nisso. Ainda assim, não somos capazes de nos livrar do desejo. E isso acontece por não sabermos como aplicar nosso vislumbre.

É preciso parar um tempo para refletir profundamente sobre a nossa situação a fim de identificarmos o que desejamos. Depois, devemos identificar a isca. Qual é o perigo? Que sofrimento ele esconde? Precisamos enxergar todas as maneiras pelas quais correr atrás e desejar tais coisas nos fazem sofrer.

Qualquer desejo tem suas raízes em nosso desejo original e fundamental de sobreviver. No budismo, não falamos em pecado capital, falamos no medo e no desejo originais, que se manifestam no momento do nosso nascimento e no precário momento da nossa primeira e dolorosa respiração. Nossas mães não podem mais respirar por nós. Inalar é complicado. Primeiro, devemos expelir água dos nossos pulmões. Porém, se não conseguimos respirar sozinhos, acabamos morrendo. Mas conseguimos e nascemos. No momento do nascimento, surgem o nosso medo da morte e o desejo de sobreviver. Quando somos pequenos, esse medo se mantém vivo. Nós sabemos que, para sobrevivermos, devemos conseguir que alguém tome conta de nós. Ao nos sentirmos sem poder, tentamos descobrir todos os caminhos para conseguir proteção, cuidado e certa garantia da nossa sobrevivência.

Quando nos tornamos adultos, nosso medo e desejo originais continuam presentes. Temos medo de ficarmos sozinhos ou abandonados. Temos medo de envelhecer. Desejamos conexões e alguém que tome conta de nós. Se trabalhamos sem parar, é possível que isso seja em decorrência de nosso medo original de não conseguirmos sobreviver. E nosso próprio medo e desejo podem nascer do medo e do desejo original dos nossos ancestrais. Eles sofreram com a fome, as guerras, o exílio e com várias outras coisas, e, ao longo dos séculos, enfrentaram inúmeras dificuldades que ameaçaram sua sobrevivência.

Quando surgem o medo, a ânsia e o desejo, devemos ser capazes de reconhecer tudo isso com plena consciência e sorrir com compaixão. "Oi, medo. Oi, desejo. Oi, criança. Oi, antepassados". Atentos à nossa respiração, no porto seguro do momento atual, transmitimos uma energia de estabilidade, compaixão e falta de medo à nossa criança interior e aos nossos antepassados.

A mente atenta só nos ajuda a reduzir o estresse e a tensão quando nos oferece vislumbres.

A meditação não é um local de refúgio temporário que nos ajuda a parar de sofrer por um tempo. Ela é muito mais do que isso. Sua prática espiritual tem o poder de transformar as raízes do seu sofrimento e a maneira como você vive seu cotidiano. É o vislumbre que nos ajuda a acalmar nossa agitação, estresse e desejo. Acho que podemos começar a falar em "redução de estresse baseada no vislumbre".

VOCÊ É LIVRE PARA SER VOCÊ MESMO

Vou contar uma história engraçada, que aconteceu há muitos anos em um hospital psiquiátrico do Vietnã. Um paciente morria de medo das galinhas que vagavam livremente pelo pátio do hospital. Sempre que via uma galinha, ele saía correndo. Certo dia, uma enfermeira lhe perguntou: "Por que você faz isso?". E o jovem revelou que imaginava ser um milho, e que temia ser comido pelas galinhas. O médico do hospital o chamou em sua sala e disse: "Caro jovem, você é um ser humano. Você não é um milho. Veja bem, você tem olhos, nariz, língua, corpo, assim como eu. Você não é um milho. Você é um ser humano". E o jovem rapaz concordou.

Logo depois, o médico lhe pediu que escrevesse várias vezes em uma folha de papel: "Sou um ser humano, não sou um milho". E o jovem preencheu várias folhas com essas palavras. Tudo parecia indicar que ele fazia grandes progressos. Sempre que uma enfermeira se aproximava perguntando: "Quem é você? O que você é?", ele respondia: "Sou um ser humano, não sou um milho". Os médicos e as enfermeiras estavam felizes. Porém, antes de ser liberado, decidiram marcar um último encontro do jovem com o médico.

Quando entrava na sala do médico para a consulta, ele viu uma galinha e saiu correndo, muito rápido. A enfermeira ficou sem fôlego ao tentar alcançá-lo. Finalmente o alcançou e, exasperada, perguntou: "O que está fazendo? Por que fugiu? Você estava se saindo muito bem. Você *sabe* que é um ser humano. Você *sabe* que não é um milho". E o jovem respondeu: "Sim, *eu sei* muito bem que sou um ser humano, não um milho. Mas a galinha não sabe disso".

Muitos de nós fazemos certas coisas apenas para seguir um padrão. Não fazemos porque acreditamos ser algo importante, mas por pensarmos que os demais acreditam ser importante. Chegamos a repetir cânticos, rezar ou invocar o nome de Buda por acharmos que Buda se importa com isso, e não por ser algo que tenha um significado para nós. O mesmo é válido para a corrida em busca do êxito, riqueza ou status. Certas vezes, não fazemos isso por acreditarmos ser algo importante, mas por pensarmos que os demais esperam isso de nós. Porém, quando enxergamos o custo real dessas buscas, e também as armadilhas nelas escondidas, perdemos a vontade de correr atrás disso tudo e aceitamos o vislumbre de que *já temos* o suficiente. Não temos nada a provar.

A VERDADEIRA FELICIDADE

Nossa qualidade de vida e nossa verdadeira felicidade não dependem de condições ou provas externas. Não dependem de quanto dinheiro temos, de qual é o nosso trabalho e de como é a nossa casa. Em Plum Village, nenhum dos monges tem conta bancária, cartão de crédito ou salário, e ainda assim vivemos muito felizes. Pelos padrões de vida norte-americanos, não somos pessoas normais. Porém, somos muito felizes com nossa vida simples e com a chance que temos de ajudar aos demais e servir ao mundo.

A ARTE DE VIVER

A felicidade real depende da nossa capacidade de cultivar a compaixão e a compreensão e de nutrir e curar a nós mesmos e aos nossos entes queridos.

Todos precisamos amar e ser amados. Em nossos relacionamentos, podemos buscar alguém que simbolize o que é bom, verdadeiro e bonito, e assim preenchermos nossa sensação de vazio. A pessoa pela qual nos apaixonamos logo se torna nosso objeto de desejo. Mas desejo sexual não é a mesma coisa que amor, e as relações sexuais motivadas pelo desejo nunca dissiparão a sensação de solidão, apenas criarão mais dor e isolamento. Se você deseja curar sua solidão, em primeiro lugar deve aprender a curar a si mesmo, estar presente para si mesmo e cultivar seu próprio jardim interior de amor, aceitação e compreensão.

Quando conseguir cultivar o amor e a compreensão em si mesmo, você terá algo a oferecer ao outro. Porém, se ainda não nos amamos e nos compreendemos, como culpar os demais por não nos amarem ou não nos entenderem? A liberdade, a paz, o amor e a compreensão não são coisas que podemos obter externamente. São coisas que já estão disponíveis em nós. Nossa prática é fazer o possível para trazer à tona o amor, a compreensão, a liberdade e a falta de medo, observando-nos profundamente e nos escutando. Em vez de correr atrás dos objetos de nosso desejo ou de transformar nossos seres amados em objetos de desejo, deveríamos gastar nosso tempo cultivando o amor verdadeiro e a compreensão em nosso coração.

> *Um amigo verdadeiro é alguém que oferece paz e felicidade. Se você é um amigo verdadeiro de si mesmo, é capaz de oferecer a si mesmo a verdadeira paz e felicidade que busca.*

Certa vez, me pediram que escrevesse uma carta de encorajamento a um prisioneiro chamado Daniel, que estava no corredor da morte em Jackson, na Geórgia, Estados Unidos. Ele tinha dezenove anos quando cometeu o crime, e há treze (toda sua vida adulta) vivia atrás das grades. Eles me perguntaram se eu poderia oferecer algumas palavras de conforto a Daniel, já que a data da sua execução se aproxima. E eu lhe enviei um bilhete: "Muita gente ao seu redor cultiva a raiva, o ódio e o desespero, e isso impede que entrem em contato com o ar fresco, o céu azul ou o cheiro de uma rosa. Essa gente vive em uma espécie de prisão. Porém, se você praticar a compaixão, se conseguir enxergar o sofrimento das pessoas ao seu redor, se tentar fazer algo para ajudá-las a cada dia, você será livre. Um dia com compaixão vale mais do que cem dias sem ela". O número de dias que nos resta viver não é tão importante. O importante é como os vivemos.

A ARTE DE VIVER

IMPACIÊNCIA

Todos conhecemos a sensação de inquietação. É o oposto de nos sentirmos à vontade ou confortáveis em nós mesmos. É uma espécie de agitação mental. Não conseguimos ficar parados. Fazemos tudo com pressa, correndo de uma coisa à outra. Onde quer que estejamos, sempre pensamos que deveríamos estar em outro lugar. Somos impacientes até durante o sono. Nenhuma posição parece ser confortável para o corpo. Buscamos algo e desejamos algo, mas não sabemos o quê. Abrimos a geladeira, checamos o telefone, pegamos um jornal, ouvimos as notícias. Fazemos o possível para nos esquecermos da sensação de solidão e sofrimento interior.

Podemos nos refugiar em nosso trabalho, não por precisarmos de dinheiro, ou porque realmente queremos fazer isso, mas porque ele nos distrai de sensações extremamente dolorosas. Somos recompensados pela sensação de realização em nosso trabalho e, antes de notarmos, ficamos viciados nele. Podemos nos voltar a filmes, séries de TV, internet, jogos de computador ou a ouvir música durante horas a fio. Acreditamos que essas coisas fazem com que nos sintamos melhores, mas assim que desligamos tudo isso, nos sentimos tão mal quanto antes, se não piores. Procurar o telefone ou o computador para mergulharmos em outro mundo tornou-se um hábito. Fazemos isso para sobreviver. Mas queremos fazer mais do que apenas sobreviver. Queremos viver.

É importante observar com honestidade seu hábito de energia. Quando você liga a televisão, sabe exatamente que programa está assistindo? Quando você pega algo para comer, o faz por ter fome? Do que está fugindo? Você tem fome exatamente de quê?

A energia da mente atenta (nosso corpo da prática espiritual) nos ajuda a identificar o tipo de sentimento que surge e nos leva a fugir. Quando nos refugiamos em nossa respiração consciente, percebemos que não precisamos fugir. Não precisamos suprimir nossos sentimentos dolorosos. Enxergamos claramente o que está acontecendo dentro de nós e temos uma chance de parar, aceitar nossos sentimentos e começarmos realmente a cuidar de nós mesmos.

Cada um de nós precisa se reconectar com si próprio, com nossos amados e com a Terra.

Nós nos reconectamos com a terra e com nosso corpo cósmico, que está presente em nós, oferecendo-nos apoio a todo momento. Todos precisamos curar profundamente nossas raízes. Sempre que voltamos ao nosso corpo com a respiração consciente, damos um fim aos nossos sentimentos de isolamento e alienação, e temos uma chance de nos curarmos completamente.

É possível aprender a se sentar em paz, respirar em paz e caminhar em paz. Estar em paz é uma arte que cultivamos com nossa prática diária de plena atenção.

EXERCÍCIO: A ARTE DO RELAXAMENTO

No meio de um dia complicado, ou assim que você chegar em casa, é possível criar um momento de paz, liberdade e felicidade simplesmente separando alguns minutos para voltar para casa, para o seu corpo, e relaxar. Aliás, você poderia tentar fazer isso agora mesmo. Bastam dez ou quinze minutos.

Vá para um local tranquilo, onde você não será perturbado. Ajeite-se de forma que seu corpo fique em uma posição confortável, seja sentado ou deitado. Depois, devote sua consciência ao seu corpo inteiro. Talvez prefira ler um parágrafo por vez do guia que apresento a seguir, praticando enquanto lê; ou pode se exercitar com um amigo, lendo o guia em voz alta um para o outro.

Em primeiro lugar, fique totalmente atento à sua respiração. Preste atenção à sua inspiração entrando no corpo e fazendo seu abdômen subir. Depois à sua expiração saindo do corpo e fazendo seu abdômen descer. Aproveite o ar que vai entrando e saindo do seu corpo. Você também pode, em silêncio, repetir a si mesmo as palavras "subindo" e "descendo", para ajudar sua mente a focar por inteiro em sua respiração no nível do abdômen. Ao acompanhar sua respiração, você se libertará das preocupações e impaciência, e seu corpo poderá começar a relaxar.

> *Devemos treinar para continuarmos voltando à nossa respiração e ao nosso corpo. Sempre que reunimos corpo e mente, nos reconciliamos conosco.*

Ao inspirar, fique atento ao seu corpo por inteiro, não importando a posição em que ele esteja. Ao expirar, sorria para seu corpo por inteiro. Mas deve ser um sorriso verdadeiro. Você poderá notar certa resistência ou tensão em seus ombros, peito, braços e mãos. Gentilmente, movimente seu corpo para se alongar e relaxar a tensão. No ritmo da respiração, mova sua cabeça de um lado a outro para relaxar o pescoço, ou alongue as costas com cuidado. Você poderá liberar qualquer tensão que possa existir no seu peito ou abdômen, braços ou mãos. Permita que cada parte do seu corpo fique completamente relaxada.

Ao inspirar, você se sente calmo. Ao expirar, você se sente bem. Sorria e permita que os músculos do seu rosto relaxem. Com calma, alivie a tensão das dezenas de músculos do seu rosto.

Comece a sentir todas as partes do seu corpo que estão em contato com o chão ou com a cadeira: seus pés, joelhos, pernas, nádegas, costas, braços, ombros e cabeça. Ao expirar, alivie toda a tensão e permita que a terra receba o peso inteiro do seu corpo. Ouça o seu corpo. Aceite seu corpo com amor, compaixão e carinho. Envie amor e energia de cura a todos os seus órgãos, agradecendo-os por estarem presentes e trabalhando em harmonia. Envie amor e gratidão a todas as partes do seu corpo. Sorria para todas as células. Reconecte-se com o seu corpo. Reconcilie-se. "Meu querido corpo, sinto muito se o decepcionei. Eu fiz com que você se esforçasse demais e o negligenciei. Permiti que o estresse, a tensão e a dor se acumulassem. Agora, por favor, permita-se descansar e relaxar".

Sorria para você mesmo. Sorria para o seu corpo. Permaneça atento ao céu azul, às nuvens brancas e às estrelas acima de você e ao seu redor. Você está em segurança, está nos braços ternos da Terra. Está em total relaxamento. Não tem nada para fazer nem precisa ir correndo a lugar algum. Tudo de que você precisa está aqui neste exato momento, e você está sorrindo.

O relaxamento traz felicidade para o seu corpo e para a sua mente. Após dez ou quinze minutos de prática, você se sentirá descansado, renovado e preparado para seguir em frente com o seu dia.

MENTE ATENTA É UMA FONTE DE FELICIDADE

Você é feliz? Sua vida é plena? Se você não enxerga a felicidade neste momento, quando poderá ser feliz? A felicidade não é algo que pode ser adiado para o futuro. Tente ser feliz neste exato momento. Se quiser ter paz, alegria e felicidade, saiba que só poderá encontrar tudo isso no aqui e agora.

Com mente atenta, podemos aprender a arte de transformar qualquer momento em um momento de felicidade, em algo lendário. Trata-se da arte de chegar no momento presente e reconhecer todas as condições de felicidade que já temos. Ao mesmo tempo, essa é a arte de transformar nosso sofrimento. As duas coisas caminham lado a lado. Reconhecer nossas condições de felicidade e cultivar momentos felizes nos ajuda a administrar e aceitar nosso sofrimento. Ao regarmos nossas sementes de alegria e bem-estar, podemos transformar nosso sofrimento.

Se este é ou não um momento feliz, só depende de você.
É você quem torna um momento feliz,
não é o momento que te faz feliz.
Com mente atenta, concentração e percepção,
qualquer momento pode ser feliz.

A ARTE DE VIVER

Sua qualidade de vida depende de você estar atento a todas as possibilidades de felicidade neste exato momento. Você está vivo. Você tem pernas para caminhar. Você tem dois olhos maravilhosos. Tudo o que precisa fazer é abri-los e desfrutar do paraíso de cores e formas ao seu redor. As ostras que vivem no fundo do mar nunca viram o azul brilhante do céu nem a majestosidade das estrelas à noite. Nunca viram as ondas do oceano nem ouviram o som do vento ou o cantar dos pássaros. No entanto, todas essas maravilhas estão disponíveis para nós. E você, está disponível para elas? A mente atenta nos ajuda a estar presente no aqui e agora e a reconhecer as maravilhas da vida que estão dentro de nós e ao nosso redor.

A felicidade não é algo que chega em uma caixa enviada pelo correio. A felicidade não cai do céu.
A felicidade é algo que geramos com mente atenta.

Se preferir, pegue um pedaço de papel, sente-se em um local tranquilo (em um parque, debaixo de uma árvore ou no seu espaço preferido) e faça uma lista de todas as condições de felicidade que já tem. Em pouco tempo, descobrirá que uma página não é suficiente. Talvez nem mesmo duas, três ou quatro sejam suficientes. Você poderá começar a perceber que é bem mais sortudo do que muita gente, pois já tem condições mais do que necessárias para ser feliz, e a gratidão e a alegria surgirão naturalmente.

VIVENDO FELIZ NO AQUI E AGORA

Na época de Buda, existia um generoso e bem-sucedido empresário chamado Anathapindika. Ele era muito amado pelo seu povo, que lhe deu este nome, cujo significado é "o que ajuda os destituídos".

Certo dia, Anathapindika levou centenas de empresários para escutar os ensinamentos de Buda, que afirmou ser possível viver feliz no aqui e agora. Talvez ele soubesse que grande parte dos homens de negócios tende a pensar demais no êxito futuro. Em seus ensinamentos, Buda usou cinco vezes a expressão "viver feliz no momento presente". Ele enfatizou que não precisamos esperar por melhores condições de felicidade no futuro. Não devemos buscar o sucesso para sermos felizes. A vida só está disponível no momento presente, e nós já temos condições mais do que suficientes para sermos felizes. Podemos praticar para continuar voltando nossa atenção a tudo que está dando certo no momento presente.

A arte de viver feliz no aqui e agora é a prática mais necessária em nosso tempo.

A ARTE DE VIVER

SER O NÚMERO UM

Muitos de nós queremos o sucesso. Queremos ser bons no que fazemos. Queremos ser o número um. Tendemos a pensar que só seremos felizes se alcançarmos o primeiro lugar. Porém, se você quiser isso mesmo, terá de devotar todo o seu tempo e energia ao trabalho. Terminará sacrificando um tempo de qualidade ao lado de sua família e amigos, além do tempo para estar consigo mesmo. Muitas vezes, sacrificamos nossa saúde. Tentando ser o número um, sacrificamos nossa felicidade. Mas qual é o propósito de ser o primeiro se você deixar de ser feliz?

Faça uma escolha.
Você prefere ser o número um ou ser feliz?
Você pode se tornar uma vítima do seu sucesso,
mas nunca será vítima da sua felicidade.

Quando você persegue o caminho da felicidade, é bem mais provável que alcance o êxito em seu trabalho. Se você é mais feliz e tem mais paz interior, seu trabalho tende a ser melhor. Mas você deve fazer da felicidade a sua prioridade. Uma vez que aceite como é, você se permitirá ser feliz. Ninguém precisa se tornar algo ou alguém diferente, assim como uma rosa não precisa se transformar em lótus para ser feliz. Sendo rosa, ela já é bonita. E você é bonito como é.

THICH NHAT HANH

CADA MOMENTO É UM DIAMANTE

Certa manhã de inverno, eu estava na minha cabana em Plum Village, preparando-me para uma palestra. Faltavam dez minutos para a hora do início do encontro na sala de meditação. Se dez minutos é muito ou pouco tempo depende de como os vivemos. Eu vesti minha túnica comprida e fui ao banheiro refrescar o rosto. Abri bem pouco a torneira, permitindo que apenas algumas gotas caíssem lentamente. Quando a água gelada começou a surgir, era como se gotas de neve derretida tocassem a minha mão. Eram gotas muito frescas e frias, que me despertaram. Passei as gotas no rosto e desfrutei de seu frescor e frio. Pareciam gotas de neve dos distantes picos do Himalaia, gotas que tinham feito uma longa viagem até chegarem à minha cabana no meio do bosque. E tais gotas tinham caído sobre minhas bochechas, testa e olhos. Enxerguei os picos cobertos de neve com toda a claridade, e, ao reconhecer a presença dos flocos de neve na água, eu sorri.

Eu não estava pensando na palestra que daria em poucos minutos. Não pensava em nada que aconteceria no futuro. Estava apenas vivendo feliz aquele momento, desfrutando daquelas gotas de neve que caíam gentilmente sobre o meu rosto.

Eu estava sozinho na cabana, mas sorri. E não foi um sorriso de educação. Não havia ninguém por perto para vê-lo. Vesti meu casaco e saí da cabana para seguir em direção à sala de meditação e fiquei maravilhado com as gotas de orvalho pousadas sobre a grama. A cada passo, eu percebia que as gotas de orvalho não eram diferentes das gotas de neve que acabara de colocar sobre o meu rosto.

Onde quer que eu vá, posso encontrar flocos de neve do Himalaia. Seja lá o que estivermos fazendo (lavando o rosto, caminhando entre gotas de orvalho em meio à névoa matinal ou olhando para o céu e as nuvens), podemos enxergar a neve das montanhas sempre dentro de nós e ao nosso redor.

Sabemos que cerca de 70% do nosso corpo
é formado de água.
Na verdade, ele é 70% neve.

Todos precisamos de uma dimensão espiritual em nossa vida. Com mente atenta, podemos enxergar toda a poesia e beleza ao nosso redor. Podemos ver as maravilhas da vida. Entramos em contato profundo com nosso corpo cósmico. E cada segundo, cada minuto e cada hora se transformam em um diamante.

TEMPO É VIDA

Ao acordar de manhã, você pode escolher como gostaria de começar o seu dia. Eu recomendo que o comece sorrindo.

Por quê? Porque você está vivo e tem 24 horas novinhas em folha pela frente. O novo dia é um presente que a vida nos oferece. Devemos festejar tal fato e jurar viver essas horas profundamente. Jurar não as desperdiçar.

    Todos os dias estão repletos de atos milagrosos: nós caminhamos, respiramos, tomamos café da manhã e usamos o banheiro. A arte de viver é saber como gerar felicidade a qualquer momento, e ninguém pode fazer isso em nosso lugar. Nós mesmos devemos criar nossa felicidade. Com mente atenta e gratidão, podemos ser felizes neste exato momento.

    Quando escova seus dentes, você pode escolher fazê-lo com mente atenta. Você pode focar sua atenção unicamente no ato de escovar os dentes. Você pode transformar os dois ou três minutos que passa escovando os dentes em minutos de felicidade e liberdade. O tempo de escovar os dentes não é um tempo perdido. Também faz parte da vida. Não o use apenas para se livrar da obrigação. Desfrute-o de maneira consciente, e concentre-se no ato de escovar os dentes. Essa é a arte de viver. Você não precisa pensar em mais nada; não precisa ter pressa. Relaxe e desfrute da escovação. Agindo assim, você se reencontra e encontra sua vida profundamente no momento atual.

    Quando escovo meus dentes, eu desfruto do fato de que, na minha idade, ainda tenho dentes para escovar! Perceber isso já é suficiente para me fazer feliz. Cada um de nós pode escovar seus dentes de uma maneira que nos faça feliz. E quando você for ao banheiro, também poderá desfrutar desse momento. Nós somos parte do rio da vida, e retornamos à Terra o que ela nos ofereceu. A mente atenta transforma a mais mundana das ações em ações sagradas. Qualquer ocasião pode se tornar um momento significativo, no qual podemos encontrar a vida de maneira profunda, seja lavando a louça, as mãos ou caminhando até o ponto de ônibus.

Quando você come, pode valorizar cada momento. A mente atenta, a concentração e o vislumbre acabarão te dizendo que esse momento de refeição é excepcional e que é maravilhoso podermos ter algo para comer.

Cada pedaço de pão, cada grão de arroz,
é um presente do cosmo inteiro.

Em geral, nós comemos sem estar atentos ao que comemos, pois nossa mente não está presente. Estamos desatentos, o que é o oposto de estarmos conscientes. Na maioria das vezes, não estamos comendo nossa comida, mas sim nossas preocupações e afazeres. Deixe seus pensamentos de lado e tente estar completamente presente para saborear e desfrutar da comida e das pessoas ao seu redor. Desligue a televisão ou o rádio, deixe de lado o telefone, o jornal ou qualquer outra coisa que poderia servir como distração. Comendo dessa forma, você não estará sendo apenas nutrido pelos alimentos, mas também pela paz, felicidade e liberdade enquanto come.

UM CAMINHO DE DESCOBERTAS

Quando você encara um grande desafio ou uma dificuldade em sua vida, pode ser complicado entrar em contato com essas alegrias simples. Você pode se pegar pensando: "Qual é o significado de tudo isso?". E poderá se fazer essa pergunta quando estiver doente, ou quando um ente querido estiver doente ou morrendo, ou quando estiver desesperado e parecer que a vida perdeu todo o seu significado.

Sempre existe algo que podemos fazer para nutrir nossa felicidade e cuidarmos de nós mesmos. Mesmo se em um dado momento não conseguimos alcançar o bem-estar completamente, pode ser possível aumentar nossa felicidade em apenas cinco ou dez por cento. E isso já é alguma coisa. Meditar não é apenas descobrir o sentido da vida, mas também nos curar e nutrir. Ao fazermos isso, temos uma chance de continuar liberando nossas ideias sobre qual é o sentido da vida.

Quando nos nutrimos e nos curamos,
nosso entendimento sobre o sentido
da vida se aprofunda dia a dia.

Existe uma formação mental positiva chamada "sossego", um estado de paz e tranquilidade, como as águas calmas de um lago entre as montanhas. Não podemos ser felizes, não podemos nos nutrir nem nos curar, se não estamos sossegados. A paz de sentir-se sossegado é o bem mais precioso do mundo, mais do que qualquer outro objetivo que possamos perseguir.

Todos temos a capacidade de nos acalmarmos e ficarmos sossegados. Porém, se não cultivamos isso, nossa energia de tranquilidade pode não ser muito forte. Você é capaz de identificar os momentos em que está realmente tranquilo? Seria capaz de criar mais momentos assim na sua vida?

É possível respirar de forma que nossa inspiração e expiração sejam agradáveis e pacíficas. Quando nos sentimos felizes, alegres e em paz ao respirar, somos capazes de parar de correr e chegar ao momento presente. A cura acontece naturalmente. Porém, se quando respiramos estamos tentando conseguir algo, mesmo que seja uma saúde melhor ou o autocontrole, ainda não paramos de correr. E nós podemos nos permitir ter paz... *estar* em paz.

EXERCÍCIO: A ARTE DE SE SENTAR

Existe uma arte que ajuda nosso corpo a se sentar calmo, de forma que você possa se sentir relaxado e bem. Isso pode exigir certo treinamento, mas é possível. Você *tem* a capacidade de experimentar a calmaria; você *tem* a capacidade de alcançar a paz. Todos temos um corpo de Buda, tudo o que precisamos fazer é dar uma chance ao nosso buda.

Para muitos de nós, quando nos sentamos quietos estamos tão agitados que nos sentimos como se estivéssemos sentados sobre um carvão em brasa. Porém, com alguma prática, conseguimos controlar nosso corpo e mente para nos sentarmos em paz. Existindo paz e calmaria, existe cura e bem-estar. E onde quer que nos sentemos, será como se estivéssemos sentados ao ar livre, em meio à grama verde, sentindo uma brisa primaveril.

Por que eu pratico a meditação sentada? Porque gosto. Fazer algo que não gostamos não faz sentido. Não se trata de trabalho pesado. Cada respiração pode trazer paz, felicidade e liberdade. O simples ato de se sentar e não fazer nada é uma arte. É a arte de não fazer nada. Você não precisa *fazer* nada. Não precisa lutar contra si mesmo para se sentar. Não precisa fazer um esforço para estar em paz. Prestar atenção à respiração é como um sol brilhando sobre uma flor. A luz do sol não deve se impor sobre a flor nem tentar alterá-la de nenhuma maneira. O calor e a energia do sol penetram na flor naturalmente. Você pode ficar sentado e desfrutar da inspiração e da expiração.

Talvez queira ajustar um pouco a sua postura, para que suas costas fiquem retas, suas pernas confortáveis e seus ombros esticados e relaxados, dando espaço suficiente para seus pulmões. Sentar-se assim permite que a respiração flua naturalmente, e permite que seu corpo relaxe por completo. Com o relaxamento, vem a cura. A cura profunda não acontece sem o relaxamento. Você deve aprender a estar completamente à vontade, a não fazer nada.

A meditação sentada é um ato de civilidade. Atualmente, estamos tão ocupados que nem temos tempo para respirar. Separe um momento para se sentar calmamente, cultivando a paz, a alegria e a compaixão... isso é civilidade. E não tem preço.

Basta que você se sente, sem fazer nada. Fique feliz ao perceber que está sentado em um lindo planeta, que gira em uma galáxia de estrelas. Você está sentado no colo da Terra, e sob sua cabeça existem trilhões de estrelas. Podendo sentar e observar isso, o que mais você precisa para permanecer sentado? Você está em contato com o universo, a sua felicidade é imensa.

CAPÍTULO 6

DESAPEGO
TRANSFORMAÇÃO E CURA

*Quando conhecemos a arte de sofrer,
sofremos muito menos. Somos capazes de
usar a lama do nosso sofrimento para fazer
crescer um lótus de amor e compreensão.*

Viver nossa vida completa e profundamente exige coragem. Se não podemos ser felizes no aqui e agora, devemos nos perguntar por que isso acontece. Se estamos tendo dificuldade para alcançar a paz e as maravilhas do cosmo em nossa vida diária, algo deve estar bloqueando nosso caminho. Devemos descobrir o que é. O que está nos oprimindo ou nos afastando do momento presente?

A arte de viver feliz também é a arte de transformar nossas aflições. Se queremos ser felizes, devemos identificar o que nos impede de sermos felizes. O caminho do bem-estar é o caminho para longe do "sentir-se mal". Certas vezes sofremos mas não ousamos admitir isso para nós mesmos, muito menos para os outros. No entanto, o mero ato de encarar nosso sofrimento pode nos indicar uma saída, um caminho em direção ao bem-estar.

Quem medita é, ao mesmo tempo, um artista e um guerreiro.

Precisamos usar nossa criatividade e coragem para nos livrarmos de tudo o que nos afasta da felicidade e da liberdade. É como se estivéssemos presos. Podemos estar presos a nós mesmos ou permitindo que os demais nos prendam. Podemos até estar vivendo como se disséssemos: "Por favor, prenda-me!" Precisamos dos vislumbres nascidos da meditação e da coragem de um guerreiro para vencer os obstáculos em nosso caminho e cortar as amarras que nos prendem. Nas palavras do primeiro mestre Zen do Vietnã e da China, Tong Hoi: "Desapegar é um ato de heróis."

DESATANDO-NOS

Podemos estar presos por conta de nossos projetos, trabalhos ou mesmo pela correria da vida. Podemos ser prisioneiros de nossos desejos ou impaciência. Podemos viver bloqueados por nossa culpa, raiva ou medo. Podemos viver a vida inteira atados pelas cordas da raiva e do medo, ou assolados por um rancor que não conseguimos deixar para trás. Nosso relacionamento com uma pessoa próxima pode ter sido enterrado pelas raízes do desentendimento. E podemos viver presos à necessidade de alcançar status, dinheiro ou prazeres sexuais. Tudo isso nos impede de experimentar a felicidade, a paz e a liberdade que estão disponíveis bem aqui, neste exato momento.

Para nos desatarmos, precisamos de coragem e determinação. É preciso coragem para alterar nossa maneira de viver, alinhando-a aos nossos mais profundos valores e aspirações. É preciso determinação para não sermos arrastados pelos projetos que nos deixam estressados e cheios de trabalho, levando-nos a negligenciar a nós mesmos e as pessoas que amamos. É preciso coragem para se sentar com seu parceiro, amigo ou familiar e abrir um canal de comunicação.

Cada um de nós deve identificar as cordas que nos prendem para nos tornarmos livres. Devemos separar um tempo para nos sentarmos e perguntarmos a nós mesmos, com toda a honestidade, o que está nos prendendo. Desejar desatar os nós não é suficiente, precisamos entender *por que* essas cordas estão nos amarrando, para depois nos livrarmos delas.

Quanto tempo nos resta de vida? Existe algo tão importante a ponto de nos impedir de viver a nossa vida ao máximo, e ser feliz? Quando encaramos nossas prioridades, deixamos de lado as ansiedades, as frustrações e os ressentimentos que estávamos carregando nos ombros.

Pouquíssimas pessoas são livres. Vivemos muito ocupados. Mesmo tendo milhões de dólares, mesmo sendo famosos e influentes, sem uma liberdade interior não podemos ser verdadeiramente felizes. E o que mais queremos no mundo é a liberdade.

Cada um de nós tem sua própria ideia de felicidade. Podemos pensar que a felicidade depende de ter certo trabalho, casa, carro ou pessoa ao nosso lado. Ou podemos pensar que devemos eliminar essa ou aquela coisa da nossa vida para sermos felizes. Algumas pessoas pensam que apenas quando um determinado partido político estiver no poder serão felizes. Mas essas coisas são apenas ideias que criamos para nós mesmos. Se as deixarmos de lado, podemos nos permitir ser felizes neste exato momento. Nossa *ideia* de felicidade pode ser o *obstáculo* que nos impede de seguir o caminho em direção à felicidade.

DESAPEGANDO

Você já tem uma folha de papel na qual listou todas as suas condições de felicidade. Agora, pegue outra folha, encontre um local calmo onde possa se sentar e faça uma lista de tudo o que embaraça a sua vida, de tudo o que deve deixar para trás, incluindo suas ideias sobre felicidade. O mero ato de nomear as coisas das quais você quer se livrar fará com que se sinta mais leve. Quanto mais você se desapegar das coisas, mais leveza e felicidade sentirá.

Desapegar é uma fonte de alegria e felicidade, mas é preciso coragem. Imagine que você mora em uma cidade congestionada e poluída, mas quer se livrar de tudo isso no fim de semana. Você pode dizer que quer ir embora, mas, por algum motivo, isso nunca acontece, pois não consegue sair da cidade. Você vive preso à cidade e nunca vê as colinas e as florestas, as praias e as montanhas, a lua e as estrelas. Porém, quando um amigo finalmente te ajuda a fugir, você começa a se sentir livre ao deixar a cidade para trás. Sente a brisa fresca no seu rosto, enxerga o horizonte amplo, e se sente melhor na hora. Essa é a alegria do desapego, a alegria de deixar para trás as suas amarras.

TRANSFORMANDO O SOFRIMENTO

Certas vezes, o obstáculo à nossa felicidade não é algo de que podemos nos livrar ou deixar para trás facilmente. Um profundo sentimento de pena ou desespero pode ser estabelecido em nosso coração, e precisamos da coragem de um guerreiro e da habilidade de um artista para transformá-lo. Podemos nos refugiar em nosso corpo de Buda, em nosso corpo da prática espiritual e em nosso corpo coletivo para nos ajudar a fazer isso.

Em 1954, o Vietnã (minha terra natal) estava dividido entre Norte e Sul. A guerra rangia e nos arrasava, e não havia fim à vista. Naquela época, minha mãe morreu. Foi algo muito doloroso, um tempo difícil para mim, e eu caí em uma depressão profunda. Não havia nada que os médicos pudessem fazer. Só através da prática da respiração consciente e da meditação caminhando é que finalmente consegui me curar.

A experiência me mostrou que a prática da respiração consciente e da meditação caminhando pode ajudar a superar a depressão, o desespero, a raiva e o medo. Cada passo e cada respiração pode nos trazer a cura. Se você está desesperado, tente praticar a mente atenta à respiração e ao andar com todo o seu coração. Ainda que o faça por apenas uma semana, você conseguirá transformar seu sofrimento e experimentar um alívio. Não desista. Continue atento à sua respiração e caminhada. Mantenha-se confiante nas qualidades da ausência de medo e perseverança que existem em você. Suas sementes do despertar e da compaixão ajudarão você a seguir em frente.

Quando enfrentamos uma crise pessoal ou sofremos com a depressão, podemos pensar que o problema é a própria vida, e que se pudéssemos nos livrar deste corpo deixaríamos de sofrer. Queremos nos livrar dessa mortalha para conseguir chegar a um lugar onde não exista sofrimento. Mas vimos que isso não é possível. A vida e a morte não são o que parecem ser. "Ser ou não ser: essa [não] é a questão!". Em termos de verdade convencional, pode existir a vida e a morte, mas, no que se refere à verdade suprema, ser ou não ser deixa de ser a questão. Os ensinamentos sobre a vacuidade, a ausência de objetivo e a ausência de imagem, e também os nossos oito corpos nos mostram que somos muito mais do que este corpo. Não existem entidades individualizadas que podem abandonar este corpo e seguir para um lugar onde a felicidade é completa, onde se vive sem sofrimento.

Paz, liberdade e felicidade podem ser encontradas bem aqui nesta vida, basta aprendermos a lidar com o nosso sofrimento.

Por termos um corpo e estarmos vivos, temos a oportunidade de curar e transformar nosso sofrimento, além de experimentar a verdadeira felicidade e as maravilhas da vida. Tudo o que podemos fazer para nos curarmos e nos transformarmos contribui para um corpo de continuação ainda mais bonito, e não apenas para nós, mas também para os nossos antepassados.

A ARTE DE VIVER

QUEM ESTÁ SOFRENDO?

Quando nosso desespero é exagerado, precisamos ser capazes de deixar de lado a ideia de que tal sofrimento é nosso, que tal corpo é nosso, que nos pertence. Os vislumbres do interser e do não-eu podem ajudar. Não termos um eu individualizado não significa que não sofremos. Quando as condições para o sofrimento se reúnem, ele surge. Nós o sentimos, o experimentamos. E quando as condições deixam de ser suficientes, o sofrimento cessa. A boa notícia é que o sofrimento é impermanente. Não existe a necessidade de uma entidade separada que sofra.

Na verdade, quando nosso sofrimento é grande demais, ele não é apenas nosso. Pode ter sido transmitido a nós por nossos pais, avós ou bisavós. É possível que essas pessoas nunca tenham tido a chance de aprender a transformar sua dor ou sofrimento, e tal sentimento pode ter sido passado às gerações seguintes. Você pode ser o primeiro da sua família a conhecer os ensinamentos e as práticas que o ajudarão a reconhecer e a cuidar desse sofrimento.

Quando somos capazes de transformar nosso sofrimento, não o fazemos só para nós mesmos, mas também para nossos antepassados e descendentes.

Saber que estamos fazendo isso com eles e para eles pode nos dar a coragem e a força necessárias para superar os momentos mais difíceis. E sabemos que estamos cultivando um bom corpo de continuidade para o nosso futuro.

Nosso corpo não é uma propriedade individual, mas coletiva. É o corpo dos nossos antepassados. Nele temos nossa mãe e nosso pai, nosso país, nosso povo, nossa cultura e o cosmo inteiro. Quando somos prisioneiros do desespero, podemos pensar que destruir nosso corpo ajudaria. Mas o vislumbre do interser nos mostra que destruir o nosso corpo seria destruir nosso pai, nossa mãe e nossos antepassados, pois todas essas pessoas vivem nele. É possível que esse sofrimento, que não é apenas nosso, passe pelo corpo. É a impermanência. Pouco a pouco, sem medo e com perseverança, isso pode ser transformado.

SOBREVIVENDO À TEMPESTADE

É possível usar nossa respiração para aceitar nossas emoções fortes e experimentar certo alívio. Nós somos muito vastos, e nossas emoções são apenas uma parte de nós; somos muito mais do que elas. Uma emoção forte é como uma tempestade que surge, permanece por um tempo e depois passa. Todos devemos aprender a sobreviver a uma tempestade. A prática da respiração diafragmática, ou profunda, é essencial. Sempre que uma emoção como a raiva, o medo, a tristeza ou o desespero surge, devemos voltar imediatamente à nossa respiração para cuidarmos da tempestade que está caindo dentro de nós. Somos como uma árvore no meio de uma tempestade. Os galhos mais altos podem estar balançando com toda a força do vento, mas o tronco e as raízes permanecem estáveis e firmes. Com a respiração profunda, trazemos nossa mente ao nosso tronco ou abdômen, onde tudo é calmo e estável. Não devemos permanecer nos galhos mais altos, pois poderíamos ser levados pelo vento.

Estando sentado, de pé ou deitado, fique atento ao seu abdômen e foque 100% na sua inspiração e expiração, no subir e descer do abdômen. Pare de pensar no que está causando a tempestade e siga sua respiração, focando na barriga. Após cinco, dez ou quinze minutos, a tempestade de emoções vai passar. A sua mente vai restaurar a clareza e a calma.

A respiração profunda é algo que você pode fazer a qualquer momento e em qualquer lugar. Quando for obrigado a se sentar e esperar alguns minutos, em vez de pegar seu celular, por que não tentar focar totalmente na sua respiração? Essa é uma forma de treinar seu corpo de prática espiritual. Em pouco tempo, focar sua mente na respiração se tornará uma resposta habitual que poderá salvá-lo nos momentos mais difíceis. Você também pode se concentrar na sua respiração profunda sempre que se deparar com as menores dificuldades e desafios que surgem todos os dias. Assim, quando a onda de emoções surgir, seu corpo da prática espiritual estará treinado e esperando você no momento em que mais precisar dele.

RECONHECENDO E ACEITANDO O SOFRIMENTO

Não devemos ter medo do sofrimento. Só devemos ter medo de uma coisa, de não saber lidar com o nosso sofrimento. Lidar com o nosso sofrimento é uma arte. Se você souber como sofrer, sofrerá muito menos, e deixará de ter medo de ser soterrado pela dor interior. A energia da mente atenta nos ajuda a reconhecer, a entender e a aceitar a presença do sofrimento, que sempre pode nos trazer um pouco de calma e alívio.

Quando uma sensação dolorosa surge, o mais normal é tentar suprimi-la. Não nos sentimos confortáveis quando nosso sofrimento surge, então queremos afastá-lo ou encobri-lo. Porém, como praticantes da mente atenta, permitimos que o sofrimento surja para que possamos identificá-lo e aceitá-lo. Isso nos traz transformação e alívio. A primeira coisa que devemos fazer é aceitar a lama que existe dentro de nós. Quando reconhecemos e aceitamos nossos sentimentos e emoções difíceis, começamos a nos sentir mais em paz. Quando entendemos que a lama é algo que nos ajuda a crescer, ficamos com menos medo dela.

Quando sofremos, trazemos à tona outra energia do fundo da nossa consciência: a energia da mente atenta, que tem a capacidade de aceitar nosso sofrimento. Ela diz: "Oi, minha querida dor". Essa é a prática de reconhecer o sofrimento. "Oi, minha dor. Eu sei que você está aí, eu vou cuidar de você. Não precisa ficar com medo."

Nesse momento, em nossa mente consciente, existem duas energias: a energia da mente atenta e a energia do sofrimento. O trabalho da mente atenta é o primeiro a reconhecer e a aceitar o sofrimento com leveza e compaixão. Você pode usar sua respiração com mente atenta para fazer isso. Ao inspirar, em silêncio, diga: "Oi, minha dor". Ao expirar, diga: "Estou aqui para você". Nossa respiração contém em seu interior a energia da nossa dor. Portanto, quando respiramos com leveza e compaixão, estamos aceitando nossa dor com leveza e compaixão.

Quando o sofrimento surge, devemos estar presentes para ele. Não deveríamos fugir nem encobri-lo com consumo, distrações ou diversões. Devemos simplesmente reconhecê-lo e aceitá-lo, da mesma maneira que uma mãe amorosa toma um filho que chora nos braços. A mãe é a mente atenta, e o bebê chorando é o sofrimento. A mãe tem a energia da leveza e do amor. Quando o bebê é abraçado por ela, ele se sente reconfortado e imediatamente passa a sofrer menos, mesmo que a mãe não saiba exatamente de onde vem o problema. O mero fato de a mãe abraçar o bebê é suficiente para ajudá-lo a sofrer menos. Não precisamos saber de onde vem o sofrimento. Só precisamos aceitá-lo, e isso já nos traz algum alívio. Quando nosso sofrimento começa a se acalmar, percebemos que ele será superado.

Quando nos voltamos a nós mesmos com a energia da mente atenta, perdemos o medo de nos sentirmos sobrecarregados pela energia do sofrimento.
A mente atenta nos dá forças para olharmos profundamente, fazendo emergir a compreensão e a compaixão.

Aceitar nossa dor e sofrimento é uma arte. Pode ser preciso algum treinamento para aprendermos a fazer isso. Como um meditador, você é um artista, e a arte de aceitar o sofrimento é algo particular, algo seu. Você pode ser criativo na hora de lidar com uma dor. Pode querer desenhar, pintar, ouvir uma música inspiradora ou escrever um poema. Alguns dos meus poemas com as imagens mais lindas foram escritos em épocas nas quais eu enfrentava grandes sofrimentos. Escrever tais poemas foi uma forma de me acalentar e reconfortar, pois eu não queria perder o equilíbrio e queria ter forças para seguir em frente com o meu trabalho.

Quando enfrento uma sensação complicada, costumo transportar minha mente a alguma memória linda e positiva, algo que me traga conforto e regue as sementes de esperança que existem na minha consciência. Pode ser a lembrança dos meus cedros preferidos em Plum Village ou a imagem de uma criança rindo ou brincando com alegria. Essa é uma maneira de fertilizar a mente. A energia positiva das boas sementes alegra a mente, abraça e penetra nas sensações dolorosas. Que lembranças ou experiências positivas você traria à tona para ajudar a aceitar e a equilibrar a energia da tristeza ou do desespero quando elas surgem?

Também é possível levar seu sofrimento para passear, permitir que ele seja aceito pela terra, pelo céu azul, pela luz do sol e pelos pequenos milagres da vida que estão ao nosso redor o tempo todo. Sofrer não é suficiente. Você também deve lembrar que as maravilhas da vida *estão aí*. Quando você permanece junto ao seu corpo, à sua respiração e ao seu sofrimento, você permite que a Mãe Terra e seu corpo cósmico aceitem sua dor. Você aceita o conforto e a leveza das maravilhas da vida, e isso te alivia.

UMA PRESENÇA CURATIVA

Quando você sabe como lidar e aceitar seu próprio sofrimento com compaixão, também sabe como ajudar uma pessoa que esteja passando por uma experiência de dor, seja física ou emocional. Se você tem energia para se acalmar e sentir compaixão por si mesmo, poderá ser a fonte de tais energias para outra pessoa. Quando você se senta ao lado dessas pessoas, elas sentem a energia da sua presença, sentem sua compaixão e seu cuidado. E você não precisa dizer nem fazer nada.

*A mera qualidade da sua presença
já altera a situação.*

Você é como uma árvore. E você pode pensar que a árvore não está fazendo nada, mas quando a toca ou se senta aos seus pés, sente a energia dela invadindo seu corpo. A árvore tem energia. Ela fica parada, sendo ela mesma, e isso é renovador, nutritivo e curativo.

Certas vezes, o sofrimento do outro pode fazer com que você se sinta inútil. Pode parecer que nada que você fizer o ajudará. No entanto, você é capaz de gerar e sustentar uma energia de calma e aceitar sua própria sensação de inutilidade. Basta acompanhar sua respiração e relaxar o seu corpo. Fazendo isso, você estará cuidando da energia da sua própria árvore. Oferecer uma presença de qualidade para alguém que sofre pode ser um grande apoio, além de ser curativo.

Muitos de nós queremos fazer algo para ajudar o mundo a sofrer menos. Vemos muita violência, pobreza e destruição ambiental ao nosso redor. Porém, se não estamos em paz, se não temos compaixão suficiente, então não podemos fazer muita coisa para ajudar. Nós somos o centro. Primeiro, devemos promover a paz e reduzir o sofrimento que existe em nós mesmos, pois representamos o mundo. A paz, a compaixão e o bem-estar começam em nós mesmos. Quando somos capazes de nos reconciliar com nós mesmos, aceitar e transformar nosso sofrimento, também podemos cuidar do mundo. Não pense que você e o mundo são duas coisas separadas. Qualquer coisa que você fizer por si mesmo, também estará fazendo pelo mundo.

EXERCÍCIO: A ARTE DE SOFRER

Se você quer entender seu sofrimento, primeiro deve se acalmar. Você deve aceitar seu sofrimento com compaixão. Depois, terá uma chance de observá-lo com cuidado, para entender suas raízes e transformá-lo.

Não fuja

Nós sabemos que existe sofrimento dentro de nós, mas não queremos voltar para casa e escutá-lo. Temos medo de sermos esmagados pela dor, pela pena ou pelo desespero, e tentamos fugir de nós mesmos e suprimir tudo isso. Porém, enquanto fugirmos, nunca teremos uma chance de curar e transformar nada. Portanto, o primeiro passo na arte do sofrimento é utilizar nossa energia de mente atenta para estarmos presentes em nosso sofrimento. O nosso corpo da prática espiritual (nossa respiração consciente e a energia da mente atenta, concentração e vislumbre) oferece a coragem e a estabilidade para reconhecer, lidar e aceitar o que surge.

Evite a segunda flecha

Quem é atingido por uma flecha sente muita dor, mas se uma segunda flecha atingir essa pessoa no mesmo ponto a dor será dez vezes pior. O seu sofrimento é a primeira flecha. E a segunda flecha é a sua irritação, raiva, resistência e reação ao que surgir. A segunda flecha poderá ser o seu medo, que enxerga a situação como algo bem pior do que realmente é. Mas também pode ser sua falta de habilidade para aceitar seu sofrimento ou suas frustrações e arrependimentos. Você deve se manter calmo e reconhecer seu sofrimento com clareza, exatamente como ele é, sem exagerá-lo nem amplificá-lo com suas outras preocupações.

A ARTE DE VIVER

Identifique suas raízes

Quando você aceita seu sofrimento com plena consciência, descobre que ele carrega consigo o sofrimento da sua mãe, do seu pai e dos seus antepassados, além do sofrimento de todo o seu povo, país e mundo. Muitos de nós vivemos momentos de profunda tristeza, medo ou desespero que não entendemos. Não sabemos de onde vêm tais sentimentos. Observando atentamente, você percebe que as raízes mais profundas podem vir dos sofrimentos herdados dos seus antepassados. Isso ajuda a transformar o sofrimento, reduzindo a dor e o desespero que você sente.

Nada sobrevive sem comida. Isso é tão verdade para o sofrimento quanto para o amor. Se seu sofrimento, pena ou depressão existe há algum tempo, algo o está alimentando. Todos os dias, consumimos nossos pensamentos, e também programas de televisão, filmes, músicas, conversas e até consciências coletivas e o ambiente ao nosso redor, o que pode ser tóxico. Portanto, esteja atento e reflita profundamente para perceber se tais elementos estão alimentando as raízes do seu sofrimento. Quando começamos a alterar a maneira como pensamos, falamos, nos comportamos e consumimos, cortamos e podamos as fontes de tais alimentos, e nosso sofrimento começa a morrer. Quando morre, ele se transforma em adubo, nutrindo novas flores de compreensão e compaixão no jardim do nosso coração.

THICH NHAT HANH

A VIRTUDE DO SOFRIMENTO

É muito tentador querer permanecer forte e saudável, nunca sofrer com nenhuma dor ou doença. Muitos de nós esperamos nunca sermos obrigados a encontrar sérias dificuldades ou desafios na vida. Porém, pela minha própria experiência, eu digo que, se não tivesse encontrado grandes dificuldades e sofrimento, não teria tido a chance de avançar em meu caminho espiritual; nunca teria tido a chance de curar, transformar e alcançar uma paz tão profunda, com tamanha alegria e liberdade. Sem experimentar o sofrimento, como gerar compreensão e compaixão? A compaixão nasce de entender o sofrimento, e sem entendimento e compaixão não podemos ser pessoas felizes.

Eu me preocupo profundamente com meus alunos, mas não gostaria de enviá-los a uma espécie de paraíso ou lugar sem sofrimento. Não podemos criar a felicidade em um lugar onde não existe o sofrimento, assim como não podemos gerar lótus onde não existe lama. A felicidade e a paz nascem da transformação da dor e do sofrimento. Se não existe lama, como uma lótus crescerá? Lótus não brotam em mármore.

CAPÍTULO 7

O NIRVANA É AGORA

O nirvana é um estado prazeroso de frescor e renovação que podemos alcançar nesta vida.

Usando a mente atenta, a concentração e o vislumbre para transformar nosso sofrimento, podemos alcançar o nirvana no aqui e agora. Ele não é um local longínquo em um futuro distante.

"Nirvana" é uma palavra que vem de um antigo dialeto rural da Índia. Na época de Buda, assim como acontece atualmente em várias zonas rurais, as famílias cozinhavam em um pequeno fogo aceso com palha, estrume, madeira e até casca de arroz. A cada manhã, a primeira coisa que a mãe fazia era acender o fogo para preparar o café para os membros da sua família que iam trabalhar no campo. Ela estirava as mãos perto das cinzas da noite anterior para ver se continuavam quentes. Caso positivo, bastava incluir um pouco de palha ou casca de arroz e reanimar o fogo. Porém, se o fogo estivesse apagado, as cinzas estariam completamente frias. Se você mergulhar as mãos nas cinzas após um fogo ter se extinguido, notará que elas estão agradavelmente frias.

Buda usava a palavra "nirvana" para descrever a experiência agradável de refrescar as chamas de nossas aflições. Muitos de nós queimamos no fogo do nosso desejo, medo, ansiedade, desespero ou arrependimento. Nossa raiva ou ciúme, ou mesmo nossas ideias sobre morte ou perda, podem nos queimar por inteiro. Porém, quando transformamos nosso sofrimento e removemos as ideias erradas, e o fazemos de maneira natural, podemos alcançar uma paz renovadora. Este é o nirvana.

Existe uma conexão íntima entre nosso sofrimento e o nirvana. Se não sofrermos, como reconhecermos a paz do nirvana? Sem o sofrimento, não pode haver o seu despertar, assim como, sem cinzas quentes, não podemos ter cinzas frias. O sofrer e o despertar caminham juntos.

Quando aprendemos a administrar nosso sofrimento, aprendemos a gerar momentos de nirvana.

O nirvana não tem a ver com algo grande que passamos a vida nos exercitando para alcançar, esperando um dia experimentar. Cada um de nós pode atingir pequenos momentos de nirvana todos os dias. Imagine que você está caminhando descalço e, sem querer, pisa nos espinhos de uma roseira. Imediatamente, você perderia toda a paz e felicidade. Porém, quando consegue remover um espinho, e depois outro, começa a alcançar certo alívio... e a experimentar um pouco de nirvana. Quanto mais espinhos remover, maior será o alívio e a paz. Da mesma forma, a remoção das aflições *é* a presença do nirvana. Quando você reconhece, aceita e transforma sua raiva, medo e desespero, começa a experimentar o nirvana.

ALCANÇANDO O NIRVANA

Buda ensinou que podemos desfrutar do nirvana com nosso próprio corpo. *Precisamos* do nosso corpo (e das nossas sensações, percepções, formações mentais e consciência) para alcançarmos o nirvana. Podemos tocá-lo com nossos pés, olhos e mãos. Por estarmos vivos com nosso corpo humano, podemos sentir o esfriamento das chamas e gerar um momento de nirvana.

Quando esfriamos as chamas da nossa raiva e, tendo entendido suas raízes, a raiva se transforma em compaixão;

essa é a experiência do nirvana. Quando experimentamos a paz e a liberdade da meditação caminhando, tocamos nosso corpo cósmico, tocamos o nirvana. No momento em que paramos de viver na correria, deixamos de lado nossas preocupações sobre o futuro, os arrependimentos do passado e voltamos a desfrutar das maravilhas da vida no momento atual, atingimos o nirvana.

É entrando em contato profundo com a dimensão histórica no momento presente que podemos alcançar a dimensão suprema. Elas não existem separadamente. Quando tocamos nosso corpo cósmico, o mundo dos fenômenos, entramos em contato com a dimensão suprema: o reino da liberdade em si mesma.

Quando enxergamos o mundo dos fenômenos pela perspectiva da dimensão suprema, enxergamos que não existe a morte e que não pode existir o nascimento. Se não existe sofrimento, não pode existir felicidade. Sem lama, não pode haver lótus. Eles dependem um do outro para se manifestar. O nascimento e a morte são meras ideias no nível da dimensão histórica. Não são a real natureza da realidade da dimensão suprema, que transcende todas as ideias e noções, todos os sinais e aparências. Na dimensão suprema da realidade em si, não existe nascimento nem morte, sofrimento nem felicidade, idas nem vindas, bondade nem maldade. Quando deixamos de lado todas as ideias e noções (incluindo as ideias de "eu", "ser humano", "ser vivo" ou "tempo de vida"), alcançamos a verdadeira natureza da realidade em si mesma; tocamos o nirvana.

O nirvana é a dimensão suprema. É a extinção e o deixar de lado todas as noções e ideias. As concentrações na vacuidade, na ausência de imagem, na ausência de objetivo, na impermanência, na ausência de desejo e no desapego nos ajudam a alcançar a verdadeira natureza da realidade. Ao contemplarmos profundamente nosso corpo físico e o reino dos fenômenos, entramos em contato com o nirvana (a verdadeira natureza do cosmo, nosso corpo divino) e experimentamos a paz, a felicidade e a liberdade da falta de medo. Deixamos de sentir medo do nascimento e da morte, do ser e do não ser.

Assim como os pássaros desfrutam de voar no céu e um veado desfruta do caminhar no bosque, os sábios desfrutam de residir no nirvana. Não precisamos olhar muito além para encontrar o nirvana, pois ele é nossa verdadeira natureza neste exato momento. Não podemos remover a dimensão suprema de nós mesmos.

Alcançar o nirvana é realizar o vislumbre do
não nascimento e da não morte
em nossa vida cotidiana.

THICH NHAT HANH

O NIRVANA NÃO É UMA MORTE ETERNA

Muita gente se confunde, pensando que o nirvana descreve um estado de felicidade ou o local que passamos a habitar após a morte. Porque talvez tenhamos ouvido falar que "Buda entrou no nirvana após morrer", pode parecer que nirvana é o local para onde vamos após morrermos. Porém, isso é um erro e pode levar a equívocos muito perigosos, pois sugere que não podemos tocar o nirvana enquanto estamos vivos, que precisamos morrer para alcançá-lo, o que não tem nada a ver com o que Buda ensinou.

Em um *tour* de ensinamentos na Malásia, atravessávamos Kuala Lumpur e vimos cartazes anunciando uma empresa que se chamava Nirvana, e que oferecia funerais budistas. Ao meu ver, é muita indelicadeza com Buda identificar o nirvana com a morte desta maneira. Buda nunca identificou o nirvana à morte. O nirvana está associado à vida no aqui e agora. Um dos maiores enganos do budismo ocidental foi definir o nirvana como uma espécie de "morte eterna" que encerra o ciclo da reencarnação. Isso é um erro grave, uma interpretação completamente equivocada do significado do nirvana. Por que milhões de pessoas seguiriam uma religião que ensina a morte eterna? A própria ideia de morte eterna está repleta de noções de ser e não ser, nascimento e morte, mas a verdadeira natureza da realidade transcende todas essas noções. Só podemos alcançar o nirvana quando estamos vivos. Espero que, em Kuala Lumpur, alguém tenha sido capaz de convencer aquela empresa funerária a mudar de nome.

A REALIDADE ÚNICA DO INTERSER

Com o vislumbre do interser, vimos como nada no mundo, incluindo nossos corpos, existe sozinho, por si próprio. Todas as coisas dependem mutuamente umas das outras. Se as coisas nunca se sujassem, como poderiam se tornar imaculadas? Sem sofrimento, nunca haveria felicidade. Sem a maldade, nunca haveria o bem. Se não houvesse sofrimento, como poderíamos olhar profundamente para ele, entendê-lo e amá-lo? Sem sofrimento, como poderia haver vislumbre? Sem o errado, como saberíamos o que é certo?

Costumamos dizer: "Deus é bom, Deus é amor", mas se Deus é bom e Deus é amor, isso significa que Ele não está presente nos lugares onde não existe bondade nem amor? Essa é uma questão importante. À luz dos ensinamentos budistas, podemos dizer que a natureza suprema da realidade, a verdadeira natureza de Deus, transcende todas as noções, incluindo as de bem e mal. Declarar qualquer coisa diferente disso é menosprezar Deus.

Frente a terríveis desastres naturais, quando milhares de pessoas morrem, algumas pessoas se perguntam: "Como Deus, que é bom, permite uma coisa dessas?".

Quando ouvimos notícias de guerras, ataques terroristas, desastres naturais, terremotos, tsunamis ou furacões, podemos nos sentir atingidos em cheio pelo desespero. Não é fácil tentar entender essas coisas. Por que alguns de nós temos que enfrentar tamanho sofrimento e morte e outros não? O vislumbre da vacuidade pode ajudar. Quando um bebê, uma senhora idosa, um adolescente ou um jovem morrem em um desastre, sentimos que parte de nós também morreu. Nós morremos com eles, pois não temos um eu individualizado, visto que pertencemos à espécie humana. Portanto, como ainda estamos vivos, eles permanecem vivos em nós. Quando alcançamos o vislumbre do não-eu, somos inspirados a viver de maneira que eles continuem, lindamente, em nós.

O nirvana, a natureza suprema da realidade, é indeterminado, é neutro. Por isso, tudo o que existe no cosmo é uma maravilha. A lótus é uma maravilha, e também a lama. A magnólia é uma maravilha, e também as plantas venenosas. As ideias de bem e mal são criadas pela nossa mente, não pela natureza. Quando nos livramos dessas concepções, enxergamos a verdadeira natureza da realidade. Não podemos qualificar um terremoto, tempestade ou vulcão como algo "bom" ou "mau". Tudo tem o seu papel.

Portanto, devemos reexaminar nossa maneira de enxergar Deus. Se Ele só está do lado da bondade, não pode ser a realidade suprema. Não podemos sequer dizer que Deus é a base de todos os seres, pois se Ele é a base de todos os seres, qual é a base do não ser? Não podemos falar de Deus em termos de existir ou não existir, ser ou não ser. Até a paz e a felicidade que surgem no momento em que alcançamos a dimensão suprema brotam de nós, e não da dimensão suprema em si. A dimensão suprema, o nirvana, não *é* paz ou alegria, pois nenhuma noção ou categoria como "paz" ou "bondade" pode ser aplicada à ela. A dimensão suprema transcende todas as categorias.

NÃO ESPERE PELO NIRVANA

Quando Buda atingiu a iluminação aos pés da Árvore *Bodhi*, ele era um ser humano, e, após sua iluminação, continuou sendo um ser humano, com todo o sofrimento e todas as aflições que envolvem ter um corpo humano. Buda não era feito de pedra. Ele vivia seus sentimentos e emoções, a dor, o frio, a fome e o cansaço, assim como cada um de nós. Não deveríamos pensar que, por sofrermos e sentirmos as aflições dos seres humanos, não podemos alcançar a paz, não podemos alcançar o nirvana. Mesmo após sua iluminação, Buda sofreu. Graças aos seus ensinamentos e às histórias sobre sua vida, nós sabemos que ele sofreu. Mas o ponto chave é que ele sabia como sofrer. Sua iluminação surgiu do sofrimento: ele sabia como fazer bom uso das suas aflições para viver a iluminação. E, por conta disso, sofreu bem menos do que grande parte de nós.

Uma respiração ou um passo dados com mente atenta podem nos trazer felicidade e liberdade. Porém, assim que paramos de praticar, o sofrimento se manifesta. Breves momentos de paz, felicidade e liberdade se unem para criar uma grande iluminação e uma grande liberdade. O que mais podemos pedir? Ainda assim, muitos de nós continuam pensando que uma vez alcançada a iluminação, permaneceremos iluminados! Deixaremos de ter problemas, diremos adeus eterno aos sofrimentos. Mas isso não é possível. O despertar e o sofrimento sempre andam de mãos dadas. Sem um não podemos ter o outro. Se fugirmos do nosso sofrimento, nunca seremos capazes de alcançar o despertar. Portanto, sofrer não é o problema, desde que saibamos como administrá-lo. O despertar pode ser encontrado no próprio coração do sofrimento. Ao transformarmos o calor do fogo, podemos alcançar a suavidade do nirvana. Os exercícios deste livro podem ajudá-lo a alcançar a paz e a liberdade a cada passo ao longo do caminho.

CONCLUSÃO

TEMPO PARA VIVER

As sete concentrações na vacuidade, na ausência de imagem, na ausência de objetivo, na impermanência, na ausência de desejo, no desapego e no nirvana são muito práticas. Aplicando-as à nossa vida cotidiana, sentimo-nos livres do medo, da ansiedade, da raiva e do desespero. Os vislumbres do interser e da interdependência nos ajudam a desfrutar do momento presente de forma mais plena, reconhecendo a vastidão do nosso ser e valorizando cada um de nossos corpos. E podemos ser mais verdadeiros conosco, reconciliando-nos com nossos entes queridos e transformando nossas dificuldades e sofrimentos.

Com o vislumbre de tais concentrações, nossa vida adquire uma qualidade muito maior. Existe mais alegria, paz e compaixão em tudo o que fazemos. Percebemos que não precisamos esperar chegarmos ao céu ou ao nirvana para sermos felizes; podemos alcançá-los bem aqui, na Terra. Quando alcançamos a verdadeira realidade do presente, alcançamos a eternidade, transcendemos a vida e a morte, o ser e o não ser, o ir e o vir. Dominamos a arte de viver, e sabemos que não estamos desperdiçando nossa vida. Não queremos apenas viver, queremos viver bem.

O resultado imediato da sua prática de mente atenta é alegria, solidez e felicidade a cada momento. Vamos supor que você esteja caminhando de maneira consciente do estacionamento ao seu escritório. Cada passo é uma paz. Cada passo é uma liberdade. Cada passo é uma cura. Chegar ao seu escritório é apenas um efeito colateral. Ao aprender a caminhar em paz, você desenvolve o hábito de residir feliz no presente. A liberdade e a felicidade do caminhar penetram em cada célula do seu corpo. Você pode fazer isso todos os dias, e caminhar consciente se tornará um estilo de vida (uma arte de viver) que poderá transmitir aos seus filhos.

Os cientistas nos dizem que viver é aprender. Nossa espécie vem aprendendo há milhões de anos. Vivemos aprendendo a nos adaptar ao nosso meio, a sobreviver. Com a seleção natural, quem não se adapta, não sobrevive. Se queremos sobreviver nessa sociedade que caminha a toda a velocidade, oprimida pelo estresse, pela ansiedade, pelo medo e pelo desespero, devemos aprender a lidar com isso. E o que aprendemos se torna parte da nossa genética e da nossa herança espiritual, que transmitimos para as gerações futuras. A herança está em nossas células e em nossa consciência coletiva.

Os seres humanos evoluíram do *Homo habilis* ao *Homo erectus* antes de nos tornarmos *Homo sapiens*, e cada novo estágio de nossa evolução surgiu como resultado do aprendizado. Algumas pessoas falam em uma nova espécie chamada *Homo conscius*, humanos com capacidade de serem conscientes. Buda pertencia à tal espécie. Os seus discípulos e os discípulos dos seus discípulos também. Eles aprenderam a fazer as coisas com consciência. Eles caminham conscientes, comem conscientes, trabalham conscientes. E aprenderam que, com mente atenta, existe concentração e vislumbre, o tipo de vislumbre que permite que vivam sua vida de maneira mais profunda e evitando o perigo. Vivendo, eles aprendem.

Se uma espécie não se adapta, não sobrevive. Existem duas maneiras de se adaptar à situação atual. A primeira é encontrar uma forma de proteger-se do perigo, do estresse ou do desespero. Assim, em vez de tornar-se vítima do seu entorno, você pode sobreviver. Sua prática diária é uma forma de se proteger. A maneira como você pensa, respira e caminha são tipos de proteção. Graças à energia da mente atenta, à concentração e ao vislumbre, você pode sobreviver a um ambiente estressante e tóxico, e graças à sua compreensão e compaixão, você contribui para não torná-lo pior. Como membro da espécie *Homo conscius*, o fruto do seu aprendizado será inscrito em todas as células do seu corpo e depois transmitido às gerações futuras. Estas, por sua vez, se beneficiarão da sua experiência e não serão capazes apenas de sobreviver a situações perigosas, mas também de viver de maneira feliz e plena.

Como monge, eu não tenho filhos ou netos biológicos, mas tenho filhos espirituais. Sei que é possível transmitir minhas realizações e minha sabedoria, além da capacidade que tenho de me adaptar, aos meus alunos, que são meus filhos e netos espirituais. Da mesma maneira que eu pareço com os meus pais, de alguma forma, meus alunos e discípulos também parecem comigo. Isso não é transmissão genética, mas espiritual. No mundo inteiro, existem milhares de pessoas que caminham, sentam, sorriem e respiram como eu. Essa é a prova de uma verdadeira transmissão que foi incorporada à vida dos meus alunos e inscrita em cada célula dos seus corpos. Mais tarde, meus alunos transmitirão suas adaptações aos seus descendentes.

Todos podemos ajudar o *Homo conscius* (espécie que incorpora a mente atenta, a compaixão e a iluminação) a se desenvolver e a permanecer no mundo por um bom tempo. O mundo precisa de muita iluminação, compreensão, compaixão, mente atenta e concentração. Existe muito sofrimento causado pelo estresse, pela depressão, pela violência, pela discriminação e pelo desespero, e precisamos de uma prática espiritual. Com uma prática espiritual, seremos capazes de nos adaptar e sobreviver. Vivendo com solidez e liberdade, podemos transmitir mente atenta, concentração, vislumbre, alegria e compaixão aos demais. Esse é o nosso legado, nosso corpo de continuação, e esperamos que as gerações futuras herdem as oferendas das nossas vidas.

Mas vamos supor que você se adapte de maneira diferente. Vendo todos ao seu redor tão ocupados, você tenta se ocupar mais ainda para se manter no topo. Os demais têm técnicas para chegar ao pódio, e você adota as mesmas técnicas para ser o número um, seja no seu trabalho ou no seu entorno social. É possível que alcance o sucesso durante um tempo, mas, no final, essa adaptação é autodestrutiva, para você como indivíduo e para a espécie como um todo.

Na sociedade atual, vivemos tão ocupados que não temos tempo para cuidar de nós mesmos. Não nos sentimos à vontade conosco. Parece difícil cuidar de nosso corpo, sentimentos e emoções. Temos medo de nos sentirmos oprimidos pelo nosso sofrimento, e fugimos de nós mesmos. Essa é uma das características que definem a nossa civilização.

Porém, se você foge de si mesmo, como poderá cuidar da sua dor? Se não cuidamos de nós mesmos, como poderemos cuidar das pessoas que amamos? E como poderemos cuidar da Mãe Natureza? Ela tem a capacidade de nos nutrir e curar, mas estamos fugindo dela, chegando a lhe causar muita dor e destruição. A tecnologia faz com que nos tornemos mais aptos a fugir de nós mesmos, da nossa família e da natureza.

É necessária uma revolução, uma espécie de revolução gentil, um tipo de despertar em cada um de nós. Precisamos nos rebelar. Precisamos declarar: "Não quero continuar assim! Isso não é vida. Eu não tenho tempo suficiente para viver. Não tenho tempo suficiente para amar!".

Quando começarmos uma revolução em nossa consciência, ocorrerá uma mudança radical em nossa família e comunidade. Mas, primeiro, devemos estar determinados a alterar nosso modo de vida. Precisamos reivindicar nossa liberdade para desfrutar das maravilhas da vida. Quando somos felizes, temos a energia e a força necessárias para ajudar os outros a fazerem o mesmo.

Quando paramos para respirar, não estamos perdendo tempo. A civilização capitalista ocidental diz que "tempo é dinheiro" e que devemos usar nosso tempo para gerar dinheiro. Não podemos parar, respirar, desfrutar de uma caminhada ou nos maravilharmos vendo o pôr do sol. Não podemos perder tempo. Porém, o tempo é mais precioso que o dinheiro. O tempo é vida. Voltarmos à nossa respiração e ficarmos atentos ao nosso corpo maravilhoso, isso é vida.

Você tem tempo para desfrutar de um lindo pôr do sol? Tem tempo para desfrutar do som da chuva caindo, dos pássaros cantando nas árvores ou do som suave de uma maré subindo? Nós precisamos despertar de um longo sonho. *É possível* viver de outra maneira. Você consegue enxergar que deseja viver de outra maneira?

Tempo não é dinheiro. Tempo é vida, e tempo é amor.

Com o despertar coletivo, as coisas podem mudar rapidamente. É por isso que tudo o que fazemos deve estar dirigido ao despertar coletivo. Os humanos podem ser odiosos, malvados e violentos, mas também temos a capacidade, com a prática espiritual, de nos tornarmos compassivos e protetores não apenas da nossa espécie, mas também das outras. A habilidade para despertarmos tem a ver com proteger nosso planeta e preservar sua beleza. O despertar é a esperança, e o despertar é possível.

Precisamos despertar para mudar nossa maneira de viver, pois assim teremos mais liberdade, felicidade, vitalidade, compaixão e amor. Devemos reorganizar nossa vida para termos tempo de cuidar do nosso corpo, dos nossos sentimentos e emoções, dos nossos entes queridos e do nosso planeta.

Cuidar de nós mesmos e das outras pessoas é o tipo de adaptação que queremos passar às gerações futuras. Devemos remover as pressões que a sociedade nos delega. Devemos resistir. A simples forma como caminhamos do estacionamento ao nosso escritório é uma forma de reagir: "Eu me recuso a correr. Eu resisto. Não vou perder um único momento nem um único passo. Reivindico minha liberdade, minha paz e minha alegria a cada passo. Esta vida é minha, e eu quero vivê-la profundamente."

EPÍLOGO

UM CAMINHO DE FELICIDADE

Os cinco treinamentos em mente atenta representam a visão de Buda para uma espiritualidade e ética global. Eles não são sectários e sua natureza é universal. Todas as tradições espirituais têm seu equivalente desses treinamentos, que não são mandamentos, mas práticas de compaixão nascidas da mente atenta e do vislumbre.

São maneiras de viver que incorporam o vislumbre do interser, aquele que diz que tudo está conectado a tudo e que a felicidade e o sofrimento não são assuntos individualizados. Seguir os cinco treinamentos é uma maneira concreta de aplicar os vislumbres de consciência de vacuidade, da ausência de imagem, da ausência de objetivo, da impermanência, do desapego e do nirvana em nossa vida cotidiana. Eles expressam a arte de viver conscientemente, uma forma de vida capaz de nos ajudar a transformar

EPÍLOGO

e a curar a nós mesmos, a nossa família, nossa sociedade e a Terra. Os treinamentos nos ajudam a cultivar a melhor adaptação que gostaríamos de transmitir para as gerações futuras. Eles são um caminho de felicidade, e o simples fato de sabermos que estamos no caminho pode nos levar à paz, à felicidade e à liberdade.

OS CINCO TREINAMENTOS EM MENTE ATENTA

1. Reverência à vida

Consciente do sofrimento causado pela destruição da vida, eu me comprometo a cultivar o vislumbre do interser e da compaixão, e a aprender como proteger a vida das pessoas, dos animais, das plantas e dos minerais. Estou determinado a não matar, a não deixar ninguém matar e a não apoiar qualquer ato de matança no mundo, seja no meu pensamento ou na minha forma de viver. Vendo que ações dolorosas surgem da raiva, do medo, da gula e da intolerância, que, por sua vez, surgem do pensamento dualista e discriminatório, eu cultivo a sinceridade, a não discriminação e o desapego de pontos de vista a fim de transformar a violência, o fanatismo e o dogmatismo em mim e no mundo.

EPÍLOGO

2. Felicidade verdadeira

Consciente do sofrimento causado pela exploração, pela injustiça social, pelo roubo e pela opressão, eu me comprometo a praticar a generosidade em meu pensamento, na minha fala e nos meus atos. Estou determinado a não roubar nem possuir nada que deveria pertencer aos outros; e vou compartilhar meu tempo, energia e recursos materiais com os que necessitam. Vou praticar a observação profunda para enxergar que a felicidade e o sofrimento dos demais não são coisas separadas da minha felicidade e do meu sofrimento; que a verdadeira felicidade não é possível sem a compreensão e a compaixão; e que correr atrás da riqueza, da fama, do poder e dos prazeres sexuais pode nos trazer muito sofrimento e desespero. Eu sei que a felicidade depende da minha atitude mental, não de condições externas, e sei que posso viver feliz no momento presente apenas me lembrando que tenho condições mais do que necessárias para isso. Eu me comprometo a exercitar o Meio de Vida Correto para poder ajudar a reduzir o sofrimento dos seres vivos na Terra e reverter o processo de aquecimento global.

EPÍLOGO

3. Amor verdadeiro

Consciente do sofrimento causado por más condutas sexuais, eu me comprometo a cultivar a responsabilidade e a aprender formas de proteger a segurança e a integridade dos indivíduos, dos casais, das famílias e da sociedade. Sabendo que desejo sexual não é amor e que a atividade sexual motivada pelo desejo sempre causa danos a mim e aos demais, estou determinado a não me envolver em relações sexuais sem um amor verdadeiro e um comprometimento profundo e de longa duração, conhecido por meus amigos e familiares. Farei tudo o que for possível para proteger as crianças do abuso sexual e para evitar que casais e famílias sejam destruídos por más condutas sexuais. Enxergando que corpo e mente são uma coisa só, eu me comprometo a aprender a cuidar da minha energia sexual e a cultivar a bondade amorosa, a compaixão, a alegria e a inclusão (que são os quatro pilares do amor verdadeiro), para a minha maior felicidade e a maior felicidade dos demais. Ao praticarmos o amor verdadeiro, sabemos que prosseguiremos lindamente no futuro.

EPÍLOGO

4. Discurso amoroso e escuta profunda

Conhecendo o sofrimento causado pelo discurso não-consciente e pela falta de habilidade para escutar os demais, eu me comprometo a cultivar o discurso amoroso e a escuta compassiva para aliviar o sofrimento e promover a reconciliação e a paz em mim mesmo e entre as demais pessoas, grupos étnicos, religiosos e nações. Sabendo que as palavras podem gerar felicidade ou sofrimento, eu me comprometo a falar com sinceridade, usando palavras que inspirem confiança, alegria e esperança. Quando a raiva se manifestar em mim, estarei determinado a não falar. Vou praticar a meditação e a caminhada consciente a fim de reconhecer e observar com profundidade a minha raiva. Eu sei que as raízes da raiva podem ser encontradas nas minhas percepções errôneas e na falta de compreensão do sofrimento que existe em mim e no outro. Vou falar e escutar de forma a ajudar a mim mesmo e ajudar os demais a transformar o sofrimento e a enxergar uma saída para as situações difíceis. Estou determinado a não espalhar notícias que não saiba serem verdadeiras e a não pronunciar palavras que possam causar divisão e discórdia. Vou praticar o Esforço Correto para nutrir minha capacidade de compreensão, amor, alegria e inclusão, e, gradualmente, transformar a raiva, a violência e o medo que se escondem na minha consciência.

EPÍLOGO

5. Nutrição e cura

Conhecendo o sofrimento causado pelo consumo não--consciente, eu me comprometo a cultivar a boa saúde, tanto física quanto mental, para mim mesmo, para minha família e para a minha sociedade, praticando a alimentação, a bebida e o consumo conscientes. Observarei profundamente como consumo os Quatro Tipos de Nutrientes, os chamados alimentos comestíveis, as impressões, a vontade e a consciência. Estou determinado a não apostar, a não consumir álcool, drogas ou qualquer outro produto que contenha toxinas, como certas páginas da internet, jogos eletrônicos, programas de TV, filmes, revistas, livros e conversas. Exercitarei a volta ao momento presente para estar em contato com os elementos revigorantes, curativos e nutritivos em mim e ao meu redor, sem permitir que os arrependimentos e a culpa me levem de volta ao passado, nem deixar que a ansiedade, o medo ou o desejo me afastem do momento atual. Estou determinado a não tentar encobrir a solidão, a ansiedade ou qualquer outro sofrimento com o consumo desenfreado. Vou contemplar o entre-ser e consumir de maneira a preservar a paz, a alegria e o bem-estar no meu corpo e na minha consciência, e no corpo coletivo e na consciência da minha família, da minha sociedade e da Terra.

SOBRE O AUTOR

Thich Nhat Hanh é um mestre Zen e líder espiritual global, poeta e ativista pela paz, reverenciado no mundo inteiro por seus ensinamentos poderosos e por seus escritos sobre mente atenta e paz, vários deles best-sellers. Seu ensinamento-chave é que, através da mente atenta, podemos aprender a viver felizes no momento presente, e que esse é o único caminho para realmente gerar paz, tanto na própria pessoa quanto no mundo. Thich Nhat Hanh foi um pioneiro ao trazer o budismo ao Ocidente, fundando seis monastérios e dezenas de centros de prática na América e na Europa, bem como mais de mil comunidades locais de prática de mente atenta, conhecidas como *sanghas*. Ele construiu uma bem-sucedida comunidade de mais de seis mil monges e freiras em todo o mundo, que, junto aos seus milhares de alunos leigos, aplicam seus ensinamentos sobre mente atenta, construção da paz e de comunidade em escolas, locais de trabalho, empresas e até prisões ao redor do mundo. Thich Nhat Hanh é um monge gentil e humilde, o homem que o doutor Martin Luther King Jr. chamou de "apóstolo da paz e da não violência".

Este livro foi impresso no Rio de Janeiro, em 2023,
pela Gráfica Viena, para a HarperCollins Brasil.
A fonte usada no miolo é Perpetua Std, corpo 13/17,8.
O papel do miolo é pólen natural 70g/m² e o da capa é cartão 250g/m².